CARLOS ALBERTO BEZERRA

# CONFISSÃO VITORIOSA

O PODER TRANSFORMADOR DA PALAVRA



mundocristão
São Paulo

Publicado por Editora Mundo Cristão

Os textos das referências bíblicas foram extraídos da *Nova Versão Transformadora* (NVT), da Editora Mundo Cristão, salvo indicação específica. Usado com permissão da Tyndale House Publishers, Inc. Eventuais destaques nos textos bíblicos e citações em geral referem-se a grifos do autor.



*CIP-Brasil. Catalogação na publicação*
*Sindicato Nacional dos Editores de Livros, RJ*

B469c

Bezerra, Carlos Alberto
Confissão vitoriosa: o poder transformador da palavra / Carlos Alberto Bezerra. - 1. ed. - São Paulo: Mundo Cristão, 2017.
160 p. ; 21 cm.

ISBN 978-85-433-0226-3

1. Vida cristã. 2. Deus. 3. Fé. 4. Confiança em Deus. I. Título.

17-39932 CDD: 248.4
CDU: 27-584

*Categoria*: Espiritualidade

Publicado no Brasil com todos os direitos reservados por:
Editora Mundo Cristão
Rua Antônio Carlos Tacconi, 79, São Paulo, SP, Brasil, CEP 04810-020
Telefone: (11) 2127-4147
www.mundocristao.com.br

1ª edição: abril de 2017

A Palavra de Deus tem um poder criativo imensurável. O universo foi gerado e se sustenta por meio da palavra divina. Quando proclamada com fé e vivida pelo homem, ela é capaz de mudar realidades, gerando possibilidades incríveis. A confissão é o caminho pelo qual a fé sai do coração do cristão para operar no mundo. Nesta obra, meu amigo Carlos Alberto Bezerra discorre sobre o tema com habilidade instigante e com a autoridade de quem vive o que diz. Ler este livro vai estimular você a abrir a boca para dar curso aos decretos eternos. Afinal, o mundo à nossa volta não vai bem, e quem cala consente.

DANILO FIGUEIRA
Pastor sênior da Comunidade Cristã de Ribeirão Preto, conferencista e escritor

"O que você diz pode salvar ou destruir uma vida" (Pv 18.21, NTLH). Um dos grandes segredos da vida cristã reside em conhecermos a Palavra de Deus e em concordar com o que ela afirma. Concordar com ela nada mais é do que confessar a Palavra, seus princípios e suas promessas. É sobre esse assunto que pastor Carlos Alberto Bezerra trata neste precioso livro, a fim de nos desafiar a conhecer profundamente a Palavra de Deus e concordar com o que ela diz, por meio da confissão de suas promessas.

OSMAR MISAEL DIAS
Pastor da Comunidade da Graça

Este livro tem uma proposta clara para quem deseja viver de acordo com a vontade de Deus, o que só é possível ao se caminhar conforme orientam as Escrituras. É por meio da Palavra que podemos experimentar a perfeita e completa vitória conquistada por Deus, em Cristo, na cruz. Tenho visto os frutos do que este livro ensina na vida e no ministério de meu pai e pastor, Carlos Alberto Bezerra. Seu testemunho lhe dá autoridade para ensinar as verdades contidas nesta obra, imprescindíveis para a jornada com Cristo. Confessar a Palavra é vencer a religiosidade e viver a plenitude da fé.

RONALDO BEZERRA<br>Pastor da Comunidade da Graça,<br>músico e compositor

A Deus, pela maravilhosa graça que um
dia me alcançou e por sua Palavra,
que transformou a minha vida.
À minha esposa, Suely, que por mais de
cinquenta anos de casamento tem sonhado
os sonhos de Deus comigo e tem sido
minha inspiração ministerial.
À minha família, que tem me ajudado a
praticar e viver com ainda mais intensidade
os princípios da Palavra de Deus.

Se você confessar com a sua boca que Jesus
é Senhor e crer em seu coração que Deus
o ressuscitou dentre os mortos, será salvo.
Pois com o coração se crê para justiça, e com a
boca se confessa para salvação.

ROMANOS 10.9-10, NVI

# Sumário

# Agradecimentos

A Deus, pois, sem ele, eu nada seria. Um dia, o Senhor me viu em meio a tantas pessoas e me confiou sua mensagem e suas ovelhas. Hoje, devo minha vida inteiramente a ele.

À minha esposa, Suely, fiel companheira de tantos anos, que me sustenta em amor e me ensina que o melhor lugar onde estar é aos pés do Senhor.

A meus filhos, genros, noras e netos. Que grande privilégio é poder chegar aos cinquenta anos de casamento e ter a família reunida e servindo ao Senhor Jesus. Sinto-me privilegiado por tê-los como grandes amigos na vida e no ministério. Com eles sou um homem melhor.

Ao pastor e amigo Carlos Alberto de Barros Antunes, meu amigo de ministério há mais de cinquenta anos. Com ele, iniciamos a Comunidade da Graça, em 1979, e até hoje posso contar com sua fiel palavra de amigo e pastor cheio do Espírito Santo. Sem ele, este livro estaria incompleto, pois, ao longo de nossa caminhada, temos somado juntos revelações da Palavra de Deus e compartilhado com as ovelhas.

Aos pastores da Comunidade da Graça, que se mantêm ao meu lado há mais de três décadas, desafiando-me, inspirando-me e continuando a visão que um dia Deus deu a mim e a Suely. Obrigado a todos vocês.

A todas as pessoas que ouviram e praticaram o conteúdo deste livro. Hoje a influência que a Comunidade da Graça exerce vai muito além do que um dia sonhei, e isso aconteceu porque o Senhor nos manteve fiéis à sua Palavra e não desviamos nem para a esquerda, nem para a direita. Obrigado, ovelhas fiéis do Senhor, que têm me agraciado e me dado a honra de servir-lhes há mais de cinquenta anos.

Ao meu amigo e filho, Gustavo Rosaneli, que, com graça e amor, me ajudou a compilar os princípios e as verdades apontados neste livro, para que chegasse de uma forma simples e prática para abençoar a vida de cada leitor. Obrigado, amigão querido!

Aos queridos amigos da Editora Mundo Cristão, Mark Carpenter, Renato Fleischner e Maurício Zágari, que têm investido no Brasil e dado a oportunidade a pastores como eu de compartilhar de forma profissional e com alto padrão de excelência as verdades que Deus nos tem confiado. Obrigado pela oportunidade, e que venham muitos outros pastores e livros além deste!

A você, que está lendo este livro. Que a Bíblia, a Palavra de Deus, tenha um novo significado para você. A Palavra de Deus é viva e eficaz e lâmpada para nossos pés. Se você praticar o que ela diz, como tenho feito ao longo de toda a minha vida, tenho certeza de que experimentará coisas incríveis e terá vida em abundância, como Jesus nos prometeu.

# Prefácio

Este livro produzirá um efeito extremamente positivo em sua vida. Primeiro, porque foi escrito por Carlos Alberto Bezerra, cujo caráter, estilo de vida e ministério têm sido reconhecidos e honrados em todo o Brasil em razão de seus frutos. Ele é, acima de tudo, um pastor apaixonado e comprometido com as verdades bíblicas; tanto que faz delas a prioridade máxima em sua fé, pregação e prática de vida.

A importância deste livro também reside no fato de seu conteúdo ser resultado de uma visão muito especial que o Senhor deu ao pastor Carlos Alberto e ao ministério da Comunidade da Graça no final da década de 1980, acerca do poder da Palavra de Deus.

As Escrituras mostram que foi pelo poder da palavra de Deus que o universo foi criado e que ela sustenta todas as coisas. Foi pelo poder da

Palavra encarnada, Jesus, que fomos salvos, regenerados e santificados. Além disso, é a Palavra que penetra até o nosso mais profundo interior e, assim, cumpre de maneira viva e eficaz o projeto divino em nossa vida.

A Palavra de Deus é o que de mais poderoso está disponível para os homens em todo o universo! Como diz o salmista, "... pois engrandeceste acima de tudo teu nome e tua palavra" (Sl 138.2). Assim, pelo poder da Palavra crida no coração e confessada com a boca, passamos a experimentar um verdadeiro avivamento, uma real experiência de novo nascimento e de libertação da lei do pecado e de todas as maldições que ele traz para a humanidade.

Foi nesse contexto que uma frase do pastor Carlos Alberto, certamente iluminada por Deus, começou a explodir em seu coração e em seus lábios: "Malditos nunca mais!". Firmado no texto que declara que "Cristo nos resgatou da maldição pronunciada pela lei tomando sobre si a maldição por nossas ofensas" (Gl 3.13), pastor Carlos Alberto teve completa convicção de que nenhuma maldição resultante do pecado poderia permanecer em nós. Desde então, essa percepção tem trazido grande alegria a todos os que ouvem as verdades sagradas a partir desse entendimento.

Esta obra tem como principal objetivo mostrar que, se crermos na Palavra de Deus em nosso coração e a confessarmos com nossos lábios, seremos salvos e, também, abençoados em todas as dimensões da vida! "Se você declarar com sua boca que Jesus é Senhor e crer em seu coração que Deus o ressuscitou dos mortos, será salvo. Pois é crendo de coração que você é declarado justo, e é declarando com a boca que você é salvo" (Rm 10.9-10).

CARLOS ALBERTO DE BARROS ANTUNES
Pastor da Comunidade da Graça e sociólogo

# Introdução

A vida do ser humano deve ser vista sempre em dupla perspectiva: a do mundo natural e a do espiritual. As duas realidades interagem e resultam no ambiente em que vivemos. Ambas influenciam nossas experiências, seja de forma positiva, seja negativa. Tais realidades, as visíveis e as invisíveis, foram criadas por Deus, e ele comanda o universo, em todos os âmbitos, com poder e glória.

Pela fé que nos mostra "a realidade daquilo que esperamos" (Hb 11.1), entendemos que o universo foi formado pela palavra de Deus, de modo que "o que se vê originou-se daquilo que não se vê" (Hb 11.3). É por meio da Palavra revelada de Deus que passamos a entender a nossa existência, o mundo e tudo o que nele existe. A fé vem por "ouvir, isto é, por ouvir as boas-novas a respeito de Cristo" (Rm 10.17).

É por meio da Palavra que conhecemos melhor a dinâmica das realidades natural e espiritual, a questão da luta entre o bem e o mal, a soberania do Senhor sobre tudo o que existe e seu maravilhoso plano de salvação. É na leitura da Palavra que entendemos a razão de enfrentarmos lutas e adversidades, mesmo em um mundo comandado por um Pai amoroso. A esse respeito, a Bíblia revela que "nós não lutamos contra inimigos de carne e sangue, mas contra governantes e autoridades do mundo invisível, contra grandes poderes neste mundo de trevas e contra espíritos malignos nas esferas celestiais" (Ef 6.12). Para trafegar com segurança e autoridade nesse ambiente, é necessário manejar bem as armas espirituais que o Criador nos deu. A Bíblia é uma dessas armas: ela é a "espada do Espírito" (Ef 6.17), ferramenta que pode ser utilizada tanto para o ataque quanto para a defesa. De que maneira? Mediante a confissão vitoriosa da Palavra.

Confessar a Palavra é declarar a verdade das Escrituras. Mas essa declaração não pode se basear em textos bíblicos fora de contexto, menos ainda em crendices populares ou erros doutrinários. Precisamos conhecer profundamente a Bíblia, para que não nos desviemos do que ela diz, nem para a direita, nem para a esquerda.

Quando confessamos destemidamente cada verdade que a Bíblia contém, neutralizamos as astutas investidas de nosso inimigo, Satanás. Também é por meio do conhecimento acerca do que o Senhor diz que mantemos a serenidade e a paz em tempos de crise e tribulação. Manejar bem a espada do Espírito, no entanto, exige que estejamos familiarizados com ela, para não cometermos graves equívocos na jornada e, com isso, nos perdermos em meio à batalha.

Infelizmente, muitos têm errado ao aplicar o conceito da confissão da Palavra de Deus. Confessá-la não é o mesmo que repeti-la como um mantra ou fazer "declarações de fé" descontextualizadas e descabidas. É grande o número de pessoas que têm uma relação supersticiosa com a confissão das verdades sagradas e chegam até a evitar certas afirmações, receosas de que a palavra proferida crie determinada realidade. Talvez você conheça quem negue o fato de estar gripado, por exemplo, pois crê que tal afirmação atrai o mal e contradiz o fato de Jesus ter levado na cruz nossas dores e enfermidades. Tais pessoas negam os sintomas da doença, não procuram ajuda médica e veem o quadro se agravar, pois lidam com o problema de forma equivocada. Reconhecer que está gripado, com depressão, câncer ou qualquer outro problema não implica falta de fé; pelo contrário, reconhecer a realidade dos fatos é o primeiro passo em direção à cura.

De acordo com Jesus, os doentes precisam de médico (Lc 5.31). Ora, simplesmente dizer que não está sentindo nada quando a febre e a dor vitimam o corpo não é confessar a Palavra, mas proferir uma mentira! A pessoa que maneja bem as Escrituras saberá que pode reconhecer o infortúnio como fato, mas, mesmo em meio à dor, confiará que Deus é "nosso refúgio e nossa força, sempre pronto a nos socorrer em tempos de aflição" (Sl 46.1). Este livro foi escrito justamente com o intuito de ajudá-lo a estar em sintonia fina com o que a Bíblia diz.

Nesta obra, convido você a conhecer alguns dos principais desafios e verdades da vida cristã e a correta forma de aplicar a Palavra diante das diversas situações do cotidiano. Com esse objetivo em mente, traço um diagnóstico do maior problema do ser humano e abordo sete contextos nos quais é necessário que estejamos atentos às ciladas de Satanás. Independentemente de qual seja a armadilha do inimigo, há uma verdade bíblica adequada para neutralizá-la. Meu desejo é que este livro o estimule a aprofundar seu relacionamento e sua intimidade com o Senhor enquanto você cresce no conhecimento do que ele diz nas Escrituras.

Ao final de cada capítulo, você encontrará um modelo de confissão, para inspirá-lo a fazer declarações teologicamente corretas e genuinamente poderosas, e uma seção especial com tópicos para reflexão e aplicação prática.

Peço a Deus que aquilo que você está prestes a ler o fortaleça na caminhada e o anime a permanecer lado a lado com o Senhor, confessando a Palavra pela qual ele revelou seu grandioso poder e seu infinito amor a cada um de nós.

# 1

# Confissão que livra do pecado

> Guardei tua palavra em meu coração, para não pecar contra ti.
>
> Salmos 119.11

O pecado surgiu fora do homem. Foi somente em um momento posterior que penetrou sua natureza. Deus não criou o homem como pecador; o criou santo e justo. O homem, porém, optou voluntariamente pela rebelião. O diabo é o arquiteto do pecado e, desde o Éden, instiga homens e mulheres a transgredirem a vontade de Deus por meio de seus ardis mentirosos: "Ele foi assassino desde o princípio. Sempre odiou a verdade, pois não há verdade alguma nele. Quando ele mente, age de acordo com seu caráter, pois é mentiroso e pai da mentira" (Jo 8.44).

A paternidade da mentira é atribuída, portanto, ao inimigo de nossa alma. Ele é o construtor, o produtor, aquele que trouxe o pecado à existência. Assim, o pecado tem sua origem em Satanás.

Astuto, o diabo não aparece com chifres e lanças. Ele sabe negociar e exercer influência. Uma das principais estratégias que usa são os sofismas, argumentos com aparência de verdade que têm como finalidade enganar, iludir e fazer calar o oponente. Satanás sabe torcer os fatos para atrair o ser humano. Observe a sutileza com que ele enganou Eva.

> A serpente era o mais astuto de todos os animais selvagens que o SENHOR Deus havia criado. Certa vez, ela perguntou à mulher: "Deus realmente disse que vocês não devem comer do fruto de nenhuma das árvores do jardim?".
>
> "Podemos comer do fruto das árvores do jardim", respondeu a mulher. "É só do fruto da árvore que está no meio do jardim que não podemos comer. Deus disse: 'Não comam e nem sequer toquem no fruto daquela árvore; se o fizerem, morrerão'."
>
> "É claro que vocês não morrerão!", a serpente respondeu à mulher. "Deus sabe que, no momento em que comerem do fruto, seus olhos se abrirão e, como Deus, conhecerão o bem e o mal."
>
> A mulher viu que a árvore era linda e que seu fruto parecia delicioso, e desejou a sabedoria que ele lhe daria. Assim, tomou do fruto e o comeu. Depois, deu ao marido, que estava com ela, e ele também comeu. Naquele momento, seus olhos se abriram, e eles

perceberam que estavam nus. Por isso, costuraram folhas de figueira umas às outras para se cobrirem.

Gênesis 3.1-7

Ao dar ouvidos à serpente, a mulher foi atraída pela tentação e pelo engodo. Satanás lhe fez uma oferta e ela deixou-se levar pela situação. O diabo afirmou ardilosamente: "É claro que vocês não morrerão!". Uma mentira! Esta é a estratégia do adversário: ele nos tenta e nos ilude, levando-nos a pensar que o pecado não tem consequências negativas.

*Esta é a estratégia do adversário: ele nos tenta e nos ilude, levando-nos a pensar que o pecado não tem consequências negativas.*

A verdade é que a tentação é um poder alheio, que nos influencia e desperta nossa vontade. Se for levada adiante, faz germinar o pecado. Ela, no entanto, pode ser sobrepujada, pois Deus nos dá a capacidade de lutar, resistir e vencer. De fato, a Bíblia nos diz que a tentação não é irresistível:

> Portanto, se vocês pensam que estão de pé, cuidem para que não caiam. As tentações em sua vida não são diferentes daquelas que outros enfrentaram. Deus é fiel, e ele não permitirá tentações maiores do que vocês podem suportar. Quando forem tentados, ele mostrará uma saída para que consigam resistir.
>
> 1Coríntios 10.12-13

Você pode resistir às tentações! Leve essa verdade a sério.

## Confissão da Palavra

A desobediência a Deus tem o poder de prejudicar nosso relacionamento com ele, além de destruir nossas relações interpessoais. Veja o exemplo dos casais. Por que eles se separam? Por causa de pecados como egoísmo, presunção, vaidade, inveja, injustiça, traição e imoralidade, entre outros. O pecado mina os casamentos e também a vida espiritual e moral. Começa devagar, nunca do dia para a noite, e é geralmente acompanhado de condescendência. Dizemos: "Não é tão grave assim. Dá para manobrar. Não precisamos ser tão drásticos, podemos levar *na manha*". Não! Não podemos levar *na manha*! Pecado não é brincadeira, pois é rebelião contra a vontade de Deus. E, quanto menos você conhece a Palavra, menos conhece o que precisa para vencer o pecado. Quanto mais conhece a Palavra, mais ganha o conhecimento necessário para vencer o pecado. Esse é o segredo! Aproxime-se da Palavra e você se afastará do pecado. Afaste-se da Palavra e você se aproximará do pecado.

Como podemos vencer o pecado? Primeiro, é preciso ter claro que o grande problema somos nós mesmos, pois, se pecamos, foi por nossa escolha. Segundo, devemos fazer uso de nossa grande arma contra o pecado que é a confissão da Palavra. Se é verdade que "todos pecaram e não alcançam o padrão da glória de Deus" (Rm 3.23), também é fato que podemos viver vitoriosamente sobre o poder do pecado por meio do conhecimento e da obediência à Palavra, que é a vontade de Deus revelada à humanidade.

A Palavra de Deus é como a receita do médico pela qual sabemos que medicamento atuará contra algo que agride nosso organismo. Deus, o Criador, se encarregou pessoalmente de escrever a prescrição contra o pecado. E, uma vez que foi ele quem a prescreveu, podemos ter total confiança: "Pois a palavra do SENHOR é verdadeira e podemos confiar em tudo que ele faz" (Sl 33.4). O tratamento que está disponível é o oferecido pelo poder da Palavra.

Pensemos em um exemplo bíblico. Após conhecerem as boas-novas por meio da pregação de Paulo, os tessalonicenses experimentaram profunda mudança de comportamento e passaram a dar bom testemunho de fé para os cristãos que residiam em outras localidades, o que foi motivo de grande alegria para o apóstolo. Ele afirmou: "Portanto, nunca deixamos de agradecer a

Deus, pois, quando vocês receberam de nós a mensagem dele, não consideraram nossas palavras meras ideias humanas, mas as aceitaram como palavra de Deus, o que sem dúvida são. E essa mensagem continua a atuar em vocês, os que creem" (1Ts 2.13). Perceba que a igreja de Tessalônica recebeu *a palavra de Deus,* por intermédio de Paulo. Onde a palavra de Deus opera? Em nós... mas em *nós que cremos*! A palavra de Deus não opera em gente que não crê. O grande segredo dos tessalonicenses é que eles ouviram a palavra de Deus. E, sendo palavra de Deus, ela operou a transformação no coração dos que creram. Fica claro que o que precisamos conhecer é *a Palavra*! As Escrituras. Nós perdemos se não somos edificados e fortalecidos por meio do ensino da Bíblia Sagrada. Temos de trabalhar com a Palavra, e não com historinhas ou conversa fiada.

*A palavra de Deus não opera em gente que não crê. O grande segredo dos tessalonicenses é que eles ouviram a palavra de Deus. E, sendo palavra de Deus, ela operou a transformação no coração dos que creram. Fica claro que o que precisamos conhecer é* a Palavra*!*

O discipulado precisa ser sempre permeado pela ministração das Escrituras, pelo ensino e pelo compartilhamento do que está na Bíblia; caso contrário, o discípulo viverá uma vida cristã utópica, inconstante e sem profundidade. Afinal, "a fé vem por ouvir, isto é, por ouvir as boas-novas a respeito de Cristo" (Rm 10.17). E é apenas pela fé que podemos permanecer firmes diante das intempéries da vida, "pois aquele que duvida é como a onda do mar, empurrada e agitada pelo vento. Ele não deve esperar receber coisa alguma do Senhor, pois tem a mente dividida e é instável em tudo que faz" (Tg 1.6-8). Devemos ter sempre em mente que a Palavra de Deus se torna a chave para o cumprimento do propósito do Senhor em nossa vida à medida que a conhecemos e aprendemos a confessá-la. Como escreveu o apóstolo Paulo:

> Toda a Escritura é inspirada por Deus e útil para nos ensinar o que é verdadeiro e para nos fazer perceber o que não está em ordem em nossa vida. Ela nos corrige quando erramos e nos ensina a fazer o que é certo. Deus a usa para preparar e capacitar seu povo para toda boa obra.
>
> 2Timóteo 3.16-17

O cristão que não se alimenta, ou não é alimentado, com a Palavra corre o risco de viver de forma pecaminosa, sem ao menos se dar conta disso. Ai de quem é assim! Vale a pena relembrar o que Jesus disse aos fariseus: "Que aflição os espera, mestres da lei e fariseus! Hipócritas! São como túmulos pintados de branco: bonitos por fora, mas cheios de ossos e de toda espécie de impureza por dentro" (Mt 23.27).

## O resultado do conhecimento da Palavra

Veja que impressionante é o poder intrínseco à pregação bíblica e o resultado que ela produz no coração de quem crê. Ao dirigir-se à igreja cristã em Roma, Paulo disse: "Pois não me envergonho das boas-novas a respeito de Cristo, que são o poder de Deus em ação para salvar todos os que creem, primeiro os judeus, e também os gentios" (Rm 1.16). O que são as boas-novas, isto é, o evangelho? *O poder de Deus em ação para salvar.* Salvar de quê? *Do pecado.*

Alguém pode pensar: "Eu quero ser salvo do inferno. Mas também quero viver aqui do jeito que considero bom. Posso?". Claro que não! O modo de vida do cristão não pode ser estabelecido com base em uma perspectiva humana e pecaminosa. Devemos tomar como ponto de partida aquilo que o Senhor disse ser correto e melhor para nós. Se ele deseja que não pequemos é porque quer evitar nossa morte. "Pois o salário do pecado é a morte, mas a dádiva de Deus é a vida eterna em Cristo Jesus, nosso Senhor" (Rm 6.23). Não leia essas palavras de forma descuidada. Reflita sobre as implicações desta afirmação: o salário do pecado é a morte!

É por isso que a pregação do evangelho é tão importante. O evangelho é o poder de Deus para nossa salvação daquilo que nos escraviza e nos mata. Se o alimento que seu pastor ou líder de ministério lhe der não for a Palavra de Deus, é história da carochinha, mera psicologia ou filosofia humana.

Certa vez, minha esposa e eu estávamos assistindo à televisão e vimos um programa sobre crises familiares. A apresentadora, cristã, disse ao final do programa: "Procure um terapeuta familiar". E só! Eu imaginei que aquela mulher fosse orar e dar uma palavra bíblica de conforto e direcionamento ao público, além de recomendar buscar auxílio nas Escrituras e junto a um líder espiritual confiável. Mas ela não falou nada mais. Ateve-se somente à indicação de um terapeuta familiar. Pensei: "Que cristianismo é esse que resolvemos adotar? Que influência cristã essa mulher exerce ao dar somente esse tipo de orientação?". Com todo o respeito pela ciência do pensamento humano, há terapeutas e psicólogos que levam as pessoas para o inferno ainda mais profundamente. Eu sei que, se você for procurar minha nora, por exemplo, que é psicóloga e cristã, ela não lhe mostrará apenas o problema com base nas ciências humanas, mas também lhe dará uma palavra temperada da parte de Deus. É isso o que um cristão com consciência pode e deve fazer.

Infelizmente, o que está acontecendo por aí é um barateamento do cristianismo. Muitos estão pregando outro evangelho! A apresentadora que mencionei, e que tinha a possibilidade de advertir, aconselhar e pregar a Palavra ao povo, terá de responder diante do Senhor pelo que falou. Todos nós devemos ter em mente o que diz Paulo: "Se alguém lhes anuncia um evangelho diferente daquele que já receberam, que seja amaldiçoado!" (Gl 1.9, NVI).

*Sabe por que muitos nada sabem sobre como viver de modo cristão? Porque não conhecem a Bíblia. Por essa razão, são facilmente enganados.*

Sabe por que muitos nada sabem sobre como viver de modo cristão? Porque não conhecem a Bíblia. Por essa razão, são facilmente enganados. Por outro lado, parte da ignorância do povo é causada por líderes que deveriam pregar toda a Palavra de Deus, genuína e bíblica, mas o que fazem é inventar modas, campanhas e todo tipo de mecanismo para atrair audiência.

Posso parecer muito crítico ao chamar sua atenção ao perigo do evangelho do triunfo, do poder, das grandes sensações emocionais e dos milagres que ganham milhares de visualizações no YouTube, mas não posso deixar de denunciar esse problema. O que é pregado por aí não tem nada a ver com a Bíblia. Isso quer dizer que não creio que possamos triunfar sobre os problemas por meio da fé? Claro que creio! Eu creio no triunfo da Igreja sobre o diabo e sobre o pecado. Prego o evangelho que é o poder de Deus para a salvação daquilo que é pior do que o câncer ou a aids e que afeta todos os seres humanos: a salvação do pecado que pode levá-lo para o inferno. A leviandade com que muitos pregadores têm tratado o pecado é a razão de a Igreja estar enferma e distante de Deus, porque não conhece o Senhor, não conhece a Palavra.

E como confessará aquilo que desconhece?

## Onde a Palavra deve estar?

Não é raro encontrar pessoas que possuem a Bíblia aberta numa estante, geralmente no salmo 23 ou no 91. Elas mantêm uma relação supersticiosa com as Escrituras. Nunca a leem, apenas a levam para dar um passeio dominical. A Bíblia de quem é supersticioso geralmente está com páginas velhas de tão expostas que ficaram, de tanto pó acumulado, de permanecerem intocáveis, dia e noite, ano após ano. Há, ainda, quem acredite que a Palavra de Deus é um amuleto contra o diabo, o que não é verdade. E existem aqueles que pegam um trecho do Texto Sagrado e o repetem como se fosse um mantra. Sentem um vento na janela e já saem recitando um salmo, repetindo-o de forma insensata. Tais pessoas não confessam a Palavra com fé, mas sim com base na crendice. A declaração delas não está permeada pela confiança em Deus, mas pelo medo do maligno. Não são leitoras da Bíblia, apenas comportam-se como papagaios, repetindo toda sorte de jargões que escutam por aí.

Os adeptos do *Hare Krishna* têm um mantra, que replicam como se fosse um rosário; eles repetem os dizeres vez após vez. De acordo com a Bíblia, porém, não adianta repetir palavras vazias. O cristianismo que muitos estão vivendo em nada se diferencia dos movimentos sectários. Alguns até fazem repetições do Pai-nosso, a oração que Jesus nos ensinou, mas apenas o proferem, não meditam em cada palavra, não o têm como modelo de oração para os momentos de prece. Enganam-se. O que surte efeito, de fato, é o princípio da Palavra arraigado no coração e dito com convicção, pela fé.

Devemos ler a Bíblia. Assim, ela não será mais um item empoeirado em nossa estante, mas conhecimento adquirido. O Senhor deseja que sua Palavra esteja em nossos lábios e em nosso coração.

> Mas o que ela diz? "A palavra está perto de você; está em sua boca e em seu coração", isto é, a palavra da fé que estamos proclamando: Se você confessar com a sua boca que Jesus é Senhor e crer em seu coração que Deus o ressuscitou dentre os mortos, será salvo. Pois com o coração se crê para justiça, e com a boca se confessa para salvação.
>
> Romanos 10.8-10, NVI

Onde a Palavra deve estar? *Nos lábios e no coração.* Se você não tem a Palavra no coração, tampouco a tem nos lábios. Se você não tem a Palavra nos lábios é porque não a tem no coração.

Preste atenção: "se você confessar com a sua boca que Jesus é Senhor e crer em seu coração que Deus o ressuscitou dentre os mortos, será salvo" (v. 9). Ao fazer tal afirmação, Paulo não diz: "será curado", "será liberto de demônios", "será próspero" ou algo assim. Existem alguns "cristãos" que pensam que prosperidade financeira é sinal de que Deus está abençoando e aprovando sua vida. Assim, vivem de qualquer jeito, puxam o tapete dos outros, mentem, sonegam impostos e dão mau testemunho. Será que Deus realmente os aprova?

O diabo também pode fazer prosperar a vida do pecador e, ao final, levá-lo para o inferno. Não se iluda com fachadas. Deus trafega numa dimensão mais profunda. "O SENHOR não vê as coisas como o ser humano as vê. As pessoas julgam pela aparência exterior, mas o SENHOR olha para o coração" (1Sm 16.7). A salvação de Deus não está relacionada às finanças, à saúde ou ao trabalho. A verdadeira salvação tem a ver com a alma, que é eterna. E, se você não experimentar essa poderosa salvação, viverá separado de Deus por toda a eternidade. Isso não lhe causa temor no coração? Diante disso, eu pergunto: onde a Palavra tem estado em sua vida?

## Crer na Palavra e confessá-la

Com o coração você crê e com a boca você confessa. Essa é a receita para a confissão vitoriosa da Palavra. Esse é o caminho para vencer as investidas e as tentações de Satanás. Mas como você crerá e confessará se não conhece e não se dedica a estudar as Escrituras? Leia os seguintes versículos com atenção:

> Portanto, a fé vem por ouvir, isto é, por ouvir as boas-novas a respeito de Cristo.
>
> Romanos 10.17

> A fé mostra a realidade daquilo que esperamos; ela nos dá convicção de coisas que não vemos. Pela fé, pessoas em tempos passados obtiveram aprovação. Pela fé, entendemos que todo o universo foi formado pela palavra de Deus; assim, o que se vê originou-se daquilo que não se vê.
>
> Hebreus 11.1-3

> Sem fé é impossível agradar a Deus. Quem deseja se aproximar de Deus deve crer que ele existe e que recompensa aqueles que o buscam.
>
> Hebreus 11.6

Como você obterá fé? Por meio de histórias fantasiosas, filosofias humanas e engenhocas religiosas? Não! Para obtê-la, você precisa ouvir a mensagem. É por meio desse conhecimento que obterá a graça de crer no impossível e saberá que Deus é o recompensador daqueles que o buscam. Aliás, saberá também que sem fé é impossível agradá-lo. Não existe maquiagem de piedade e de bom cidadão para chamar a atenção do Senhor. É só pela fé.

## A Palavra quebra toda pedra de tropeço

A Bíblia é um livro repleto de promessas feitas pelo Criador. Aqui reside um fato muito importante e que deve ser levado em consideração para quem a lê: como Palavra de Deus, a Bíblia é um livro sobrenatural. Se o Senhor do universo fez uma promessa, devemos crer que não deixará de cumpri-la. "Apeguemo-nos firmemente, sem vacilar, à esperança que professamos, porque Deus é fiel para cumprir sua promessa" (Hb 10.23). Quem fez a promessa? *Deus!* O que nós temos de fazer? *Apegar-nos firmemente* à esperança que professamos.

A Palavra de Deus "é como o martelo que despedaça a rocha" (Jr 23.29). O que o martelo faz para alcançar esse propósito? Golpeia a rocha muitas vezes até que ela se rompa. Assim acontece com a confissão. O cristão deve ater-se à Palavra e confessá-la quantas vezes for necessário. Se um problema aparecer à sua frente, busque uma promessa adequada à situação e faça como Jesus, quando foi tentado por Satanás. Observe como a confissão vitoriosa da Palavra foi usada por ele para combater o ardil do inimigo:

> Em seguida, Jesus foi conduzido pelo Espírito ao deserto para ser tentado pelo diabo. Depois de passar quarenta dias e quarenta noites sem comer, teve fome.
>
> O tentador veio e lhe disse: "Se você é o Filho de Deus, ordene que estas pedras se transformem em pães".
>
> Jesus, porém, respondeu: "As Escrituras dizem: 'Uma pessoa não vive só de pão, mas de toda palavra que vem da boca de Deus'".

> Então o diabo o levou à cidade santa, até o ponto mais alto do templo, e disse: "Se você é o Filho de Deus, salte daqui. Pois as Escrituras dizem: 'Ele ordenará a seus anjos que o protejam. Eles o sustentarão com as mãos, para que não machuque o pé em alguma pedra'".
>
> Jesus respondeu: "As Escrituras também dizem: 'Não ponha à prova o Senhor, seu Deus'".
>
> Em seguida, o diabo o levou até um monte muito alto e lhe mostrou todos os reinos do mundo e sua glória. "Eu lhe darei tudo isto", declarou. "Basta ajoelhar-se e adorar-me."
>
> "Saia daqui, Satanás!", disse Jesus. "Pois as Escrituras dizem: 'Adore o Senhor, seu Deus, e sirva somente a ele'."
>
> Então o diabo foi embora, e anjos vieram e serviram Jesus.
>
> Mateus 4.1-11

O que é que Jesus respondeu ao diabo? "As Escrituras dizem." Como você vence o adversário? Com o poder da Palavra.

O inimigo sempre utiliza as mesmas técnicas. Ele tenta confundir, enganar e lançar dúvida em seu coração. Como você pode lidar com isso? Declarando as Escrituras! A Palavra quebra toda pedra de tropeço.

> Usamos as armas poderosas de Deus, e não as armas do mundo, para derrubar as fortalezas do raciocínio

humano e acabar com os falsos argumentos. Destruímos todas as opiniões arrogantes que impedem as pessoas de conhecer a Deus. Levamos cativo todo pensamento rebelde e o ensinamos a obedecer a Cristo.

2Coríntios 10.4-5

O diabo não desiste facilmente. Por três vezes ele tentou Jesus no deserto e chegou a citar as Escrituras com o intuito de confundi-lo com sofismas. É essa a tática. Mas o inimigo não conseguiu alcançar seu intento maligno. O Senhor rebateu cada sofisma, citando as Escrituras do Antigo Testamento e aplicando-as ao contexto correto. Note que Jesus não disse: "Diabinho, eu mando que você vá embora. Está amarrado!". Ele disse, confiantemente: "As Escrituras dizem"! A maneira de expulsar os demônios é usando as Escrituras, porque o diabo pode ter argumento para tudo, menos para a Palavra de Deus.

*Note que Jesus não disse: "Diabinho, eu mando que você vá embora. Está amarrado!". Ele disse, confiantemente: "As Escrituras dizem"! A maneira de expulsar os demônios é usando as Escrituras.*

Se o diabo usou esse ardil para enganar o Senhor, podemos esperar que ele faça o mesmo conosco. Mas não tenha medo. Assim como Jesus, você pode vencê-lo. O inimigo não pode resistir ao cristão que conhece as Escrituras.

## Fé e obediência

A intenção de Satanás ao tentar Jesus era levá-lo a pecar. Quando tenta, o diabo procura incutir em nós a ideia de que nada acontecerá, que a transgressão passará incólume aos olhos do Senhor. Isso é pura ilusão. "Não se deixem enganar: ninguém pode zombar de Deus. A pessoa sempre colherá aquilo que semear. Quem vive apenas para satisfazer sua natureza humana colherá dessa natureza ruína e morte. Mas quem vive para agradar o Espírito colherá do Espírito a vida eterna" (Gl 6.7-8).

Você pode conhecer alguém que esteja desobedecendo a Deus, fazendo uma porção de besteiras e, aparentemente, seguindo com a vida de vento em popa. Saiba que tal pessoa está se enforcando. A Bíblia diz: "Que coisa terrível é cair nas mãos do Deus vivo" (Hb 10.31). Às vezes, o Senhor dá tempo para o indivíduo se arrepender. Caso não se arrependa, certamente será alcançado e derrotado. Isso, muitas vezes, acontece de repente. Não se iluda. Se você não obedecer a Deus, estará em uma situação terrível. Sem obediência, sua fé é morta (Tg 2.17-19).

Infelizmente, os demônios têm mais reverência a Deus e à sua Palavra do que tantos que se dizem cristãos. Muitos pensam que nem tudo o que está escrito acontecerá. Preferem crer que Deus quebrará o galho deles; pelo contrário, esses pseudocristãos vão cair do galho. E, às vezes, sem esperança de uma segunda chance.

Soube do caso de uma garota que saiu de um acampamento de jovens de forma hostil à mensagem que estava sendo pregada, cuja ênfase era o novo nascimento. Ela estava na companhia do namorado e deixou as dependências em que a comunidade estava reunida, alegando que a palavra era muito dura. Ela dizia: "Esse pastor é um fanático, pois quer que sejamos santos. Nós não somos santos. Ninguém presta, somos todos corruptos". Ela mantinha relações sexuais com o namorado. Quando pegaram o carro e entraram na estrada para regressar, sofreram um acidente na rodovia. Ela morreu e ele ficou vivo. Ela teve a chance, mas perdeu a oportunidade, sem atentar para a orientação bíblica: "Hoje, se ouvirem sua voz, não endureçam o coração" (Hb 3.15).

Quando estiver lendo sua Bíblia, grife as promessas do Senhor. Mas atenção: não lide com as Escrituras de forma supersticiosa nem trate Deus como o gênio da lâmpada. Tem muita gente por aí dando ordens ao Senhor, como se ele fosse um empregado. Não faça isso! Ele é soberano e pode simplesmente dizer *não* como resposta a uma oração. Ele sabe muito mais do que você, que é um ser humano limitado. A partir do momento em que tomar conhecimento de uma promessa de Deus, decore-a. Quando o diabo quiser afrontá-lo, confesse-a corajosamente contra o ardil dele. Diga-lhe: "As Escrituras dizem"! E o que o diabo vai fazer? Fugir (Tg 4.7)!

Como resistimos ao diabo? Pela confissão vitoriosa da Palavra. Por mais desencorajado ou abatido que esteja, saiba que o poder não reside em você. O poder é de Jesus Cristo. Levante-se pela fé e vença a batalha. O Espírito Santo o ajudará.

## O poder da confissão

Fé não é um sentimento, tampouco é uma emoção. "A fé mostra a realidade daquilo que esperamos; ela nos dá convicção de coisas que não vemos" (Hb 11.1). Ela vem pelo conhecimento de Deus por meio da leitura, da pregação e do estudo da Palavra. Pela fé cremos que o Senhor não mente e cumpre o que diz (Nm 23.19).

Precisamos ouvir a Palavra para que nosso coração se encha de fé. Aqui vale uma pergunta: você dedica tempo de qualidade para ler a Bíblia, escutar bons sermões e estudar as Escrituras com diligência? Se não se aplicar a isso, jamais poderá confessar a Palavra vitoriosamente. "Pois é crendo de coração que você é declarado justo, e é declarando com a boca que você é salvo" (Rm 10.10). Mas não basta somente ouvir, crer, respeitar ou entender a Palavra. Nós precisamos obedecer-lhe e confessá-la, pois é dessa forma que Deus produzirá libertação, saúde, cura, salvação, vitória, perdão e toda sorte de benefícios espirituais em nossa vida. Como escreveu o salmista: "[Deus] enviou sua palavra e os curou, e os resgatou da morte" (Sl 107.20).

*Você dedica tempo de qualidade para ler a Bíblia, escutar bons sermões e estudar as Escrituras com diligência? Se não se aplicar a isso, jamais poderá confessar a Palavra vitoriosamente.*

Por isso, minha preocupação como pastor é ensinar a Palavra. Porque, quando confessamos a Palavra de Deus, ela traz o poder do Todo-poderoso para o cenário. Por meio dela, o Senhor se revela à humanidade, transforma vidas e nos dá a conhecer o caminho para o milagre e a plenitude de alegria. Acredite, ser próspero independe do dinheiro, da beleza ou de qualquer artifício humano para alcançar a satisfação.

## Apegue-se à verdade e cumpra a vontade de Deus

Muitos pensam que a cura do corpo é a grande solução da vida, mas o que está em questão não é o corpo humano; é a alma. Porque, se a pessoa não nascer de novo, irá para o inferno. Infelizmente, esse evangelho já não é pregado. O que vemos por aí é um evangelho sem cruz, sem arrependimento e sem salvação. Certa vez, enquanto assistia à televisão com minha esposa, vi um pastor que não pregava nada além de fantasias. Que tristeza! Ele pregava um evangelho sem obediência, sem regeneração, sem novo nascimento, sem santidade, sem vida de justiça. É isso o que vemos em muitas igrejas: um "cristianismo" carnal, mundano e diabólico.

Esse mau testemunho faz com que os não convertidos vejam os cristãos como iguais àqueles que vivem no pecado. Já não há diferença, e tudo o que fazemos é idêntico ao mundo degenerado: a moda que vestimos, as atitudes que tomamos, a maneira como nos portamos e aquilo em que investimos tempo e recursos. E dizemos que somos cristãos? Mentira! Jesus disse: "Nem todos que me chamam: 'Senhor! Senhor!' entrarão no reino dos céus, mas apenas aqueles que, de fato, fazem a vontade de meu Pai, que está no céu" (Mt 7.21).

Chorei ao ouvir aquele pastor falar na televisão. Pensei: "Esse homem está falando por horas e horas e em nenhum momento mencionou o arrependimento e a nova vida em Jesus. Meu Deus! A situação tem de mudar!". Não podemos pensar que ser igual ao mundo é o mesmo que ser cristão. Ser servo de Cristo é ser diferente de servo de Satanás. É viver de acordo com o que Paulo disse:

> Portanto, irmãos, suplico-lhes que entreguem seu corpo a Deus, por causa de tudo que ele fez por vocês. Que seja um sacrifício vivo e santo, do tipo que Deus considera agradável. Essa é a verdadeira forma de adorá-lo. Não imitem o comportamento e os costumes deste mundo, mas deixem que Deus os transforme por meio de uma mudança em seu modo de pensar, a fim de que experimentem a boa, agradável e perfeita vontade de Deus para vocês.
>
> Romanos 12.1-2

Isso faz a diferença! É a igreja que tem de influenciar o mundo, e não o contrário!

Mas nem tudo está perdido. Ainda temos bons servos do Senhor que não se dobraram à corrupção do mundo: crianças, jovens, adultos, senhoras e senhores de cabelos brancos que dão bom testemunho do evangelho e são fiéis à Palavra. Dou glória a Deus pela vida e pela influência que esses irmãos de fé exercem no meio em que estão.

O que Deus está pedindo de nós em Romanos 12.1-2? *O nosso corpo*, a integridade de nossa vida física, que inclui espírito e alma. Você é uma totalidade, ou seja, se obedece, não é apenas seu corpo que está envolvido na situação, mas todo o seu ser. À medida que dá ouvidos à Palavra e a pratica, sua mentalidade é renovada e, assim, pode experimentar a boa, agradável e perfeita vontade de Deus. Regeneração é isto: nova mentalidade, novo coração. E ela afeta todo o seu ser. De fato, quando caminhamos seriamente com Cristo, já não somos os mesmos e podemos dizer com o apóstolo Paulo: "Fui crucificado com Cristo; assim, já não sou eu quem vive, mas Cristo vive em mim. Portanto, vivo neste corpo terreno pela fé no Filho de Deus, que me amou e se entregou por mim" (Gl 2.20).

*À medida que dá ouvidos à Palavra e a pratica, sua mentalidade é renovada e, assim, pode experimentar a boa, agradável e perfeita vontade de Deus. Regeneração é isto: nova mentalidade, novo coração. E ela afeta todo o seu ser.*

Por meio da afirmação de Paulo, entendo que Jesus morreu por mim e eu morri com ele. Tem gente que vê apenas um lado da moeda: "Jesus perdoou meus pecados e morreu por mim". Essa é a primeira parte. Mas há uma segunda realidade, que não pode passar despercebida: *eu morri com ele*. Dessa segunda afirmação não gostamos muito, pois demanda esforço de nossa parte a fim de permanecermos firmes contra as tentações e o pecado.

Morremos e fomos crucificados com Cristo para que o pecado não mais tivesse domínio sobre nós. Fomos incluídos na morte de Cristo, a fim de morrermos para o que é mau. É por saber disso que você pode confessar que viverá acima das tentações e das obras do diabo, pois elas já não exercem poder sobre você. É como diz a Palavra:

> Agora, portanto, já não há nenhuma condenação para os que estão em Cristo Jesus. Pois em Cristo Jesus a lei do Espírito que dá vida os libertou da lei do pecado, que leva à morte. A lei não era capaz de nos salvar por causa da fraqueza de nossa natureza humana, por isso Deus fez o que a lei era incapaz de fazer ao enviar seu Filho na semelhança de nossa natureza humana pecaminosa e apresentá-lo como sacrifício por nosso pecado. Com isso, declarou o fim do domínio do pecado sobre nós, de modo que nós, que agora não seguimos mais nossa natureza humana, mas sim o Espírito, possamos cumprir as justas exigências da lei.
>
> Aqueles que são dominados pela natureza humana pensam em coisas da natureza humana, mas os que são controlados pelo Espírito pensam em

coisas que agradam o Espírito. Portanto, permitir que a natureza humana controle a mente resulta em morte, mas permitir que o Espírito controle a mente resulta em vida e paz. Pois a mentalidade da natureza humana é sempre inimiga de Deus. Nunca obedeceu às leis de Deus, e nunca obedecerá. Por isso aqueles que ainda estão sob o domínio de sua natureza humana não podem agradar a Deus.

Vocês, porém, não são controlados pela natureza humana, mas pelo Espírito, se de fato o Espírito de Deus habita em vocês. E, se alguém não tem o Espírito de Cristo, a ele não pertence.

Romanos 8.1-9

Certa vez, Jesus disse a seus discípulos: "E, quando eu for levantado da terra, atrairei todos a mim" (Jo 12.32). Isso significa que, no Calvário, o Senhor foi o nosso substituto, porque não tínhamos condições de pagar por nossos pecados. O Salvador entregou a sua vida para pagar a nossa dívida.

Na cruz, você foi atraído a Jesus. Atraído, nesse contexto bíblico, quer dizer *mergulhado, batizado*. Ou seja, quando Jesus foi levantado na cruz, você foi incluído na morte dele. Ou você crê nisso ou perde o grande poder da vida vitoriosa. Porque o diabo tenta lhe dizer: "Você sempre será escravo do pecado". Mentira! Está escrito que você já não está sob o domínio da carne, mas do Espírito! Não dê ouvidos a Satanás. Você pode ser santo.

Existe gente que vive num eterno sobe e desce: num momento é santo, consagrado; no outro é um pecador contumaz. Isso não é vida cristã, é uma montanha-russa! Vida cristã é algo muito mais sério e exige empenho.

> Sabemos que nossa velha natureza humana foi crucificada com Cristo, para que o pecado não tivesse mais poder sobre nossa vida e dele deixássemos de ser escravos. Pois, quando morremos com Cristo, fomos libertos do poder do pecado. Então, uma vez que morremos com Cristo, cremos que também com ele viveremos.
>
> Romanos 6.6-8

"Sabemos...", diz o texto. Quando não sabemos, não temos poder na vida cristã. Se reconhecemos que a maior desgraça da vida é o pecado, e que Jesus veio ao mundo para resolver esse problema, podemos lidar com nosso maior inimigo de forma assertiva e contundente. Já a cura da enfermidade, a prosperidade financeira e o bem-estar são consequências e nem sempre acontecem. Nosso maior tesouro não são prazeres terrenos, mas é a vida de Cristo em nós.

## Crucificado e ressurreto com Cristo

Paulo diz que o nosso velho homem foi crucificado. Quem é esse velho homem? É justamente aquela natureza má, carnal e perversa que todos tínhamos, pois nascemos com ela. Deixe-me perguntar uma coisa: qual de nós, adultos, nunca mentimos na vida? Ninguém! Quem nos ensinou a mentir? O pai da mentira, o diabo. As Escrituras dizem que todos nós, antes de nascermos de novo, fomos filhos do diabo. Ou seja, antes da regeneração somos criaturas de Deus e filhos de Satanás. Não nascemos como filhos de Deus. Para que nos tornemos filhos dele, devemos nos entregar a Cristo, aceitando seu sacrifício salvífico.

> Veio ao mundo que ele criou, mas o mundo não o reconheceu. Veio a seu próprio povo, e eles o rejeitaram. Mas, a todos que creram nele e o aceitaram, ele deu o direito de se tornarem filhos de Deus. Estes não nasceram segundo a ordem natural, nem como resultado da paixão ou da vontade humana, mas nasceram de Deus.
>
> João 1.10-13

Nascemos como frutos da criação divina, mas também como filhos do diabo. Nascemos com uma natureza má e perversa que herdamos de nossos ancestrais Adão e Eva por causa do pecado que o diabo incitou. Quando o homem nasce de novo, morre o "código genético" de Adão e ressuscita o "código genético" de Jesus. Por isso o cristianismo não é religião! Cristianismo é Cristo em nós, o que nos dá a confiante esperança de participar de sua glória (Cl 1.27).

Paulo afirma que já não é ele quem vive, mas Cristo vive nele. E como poderia Cristo viver nele? Como um morto? De maneira nenhuma! Como uma pessoa viva e ressurreta dentre os mortos. Veja o que a Bíblia diz a respeito dessa verdade:

> Mas Deus é tão rico em misericórdia e nos amou tanto que, embora estivéssemos mortos por causa de nossos pecados, ele nos deu vida juntamente com Cristo. É pela graça que vocês são salvos! Pois ele nos ressuscitou com Cristo e nos fez sentar com ele nos domínios celestiais, porque agora estamos em Cristo Jesus. Portanto, nas eras futuras, Deus poderá apontar-nos como exemplos da riqueza insuperável de sua graça, revelada na bondade que ele demonstrou por nós em Cristo Jesus.
>
> Efésios 2.4-7

Da mesma forma que fui crucificado com Cristo, fui ressurreto com ele. Fui crucificado com o Salvador para morrer para o pecado, e fui ressurreto com ele para viver para a justiça. Isso deveria provocar uma vibração enorme entre nós, cristãos, porque esse é o segredo da vida. Se fui incluído na morte de Jesus, também fui incluído em sua ressurreição. Na minha inclusão na morte do Senhor, eu morro para o pecado. E, na inclusão em sua ressurreição, eu ressuscito para a justiça. Que realidade sublime e impressionante! A Palavra de Deus nos capacita a viver vitoriosamente. Sem essa verdade, já estaríamos no inferno há muito tempo.

*Da mesma forma que fui crucificado com Cristo, fui ressurreto com ele. Fui crucificado com o Salvador para morrer para o pecado, e fui ressurreto com ele para viver para a justiça. Isso deveria provocar uma vibração enorme entre nós, cristãos, porque esse é o segredo da vida.*

O apóstolo Pedro escreveu: "Todo louvor seja a Deus, o Pai de nosso Senhor Jesus Cristo. Por sua grande misericórdia, ele nos fez nascer de novo, por meio da ressurreição de Jesus Cristo dentre os mortos" (1Pe 1.3). Preste atenção a esta afirmação: *ele nos fez nascer de novo, por meio da ressurreição de Jesus*! Só passamos a ter esperança no momento em que provamos o poder da ressurreição. Esse é o segredo. Já não há motivo para permanecer escravo do pecado. Já não é preciso continuar corrupto, mentiroso, falso ou maledicente. Você pode ser santo e justo. Você pode viver uma vida de justiça e amor, segundo a vontade e o coração de Deus. Essa é a destinação e esse é o segredo da vida cristã, que Deus, em Cristo, quer que todos nós conheçamos. Na ressurreição de Cristo, o Pai nos deu um novo coração e um novo espírito; por isso, o confessamos e tomamos posse dessa verdade, dessa vida abundante, em nome do Senhor Jesus!

## Para reflexão individual ou em grupo

Na luta contra o pecado, por que é importante conhecer e confessar a Palavra de Deus?

Que resultados principais você consegue destacar do conhecimento da Palavra de Deus?

Do ponto de vista bíblico, onde a Palavra de Deus deve estar? Por quê?

## Versículos transformadores para memorizar e praticar

Mas ele foi ferido por causa de nossa rebeldia e esmagado por causa de nossos pecados. Sofreu o castigo para que fôssemos restaurados e recebeu açoites para que fôssemos curados. Todos nós nos desviamos como ovelhas; deixamos os caminhos de Deus para seguir os nossos caminhos. E, no entanto, o SENHOR fez cair sobre ele os pecados de todos nós.

Isaías 53.5-6

Mas Deus é tão rico em misericórdia e nos amou tanto que, embora estivéssemos mortos por causa de nossos pecados, ele nos deu vida juntamente com Cristo. É pela graça que vocês são salvos! Pois ele nos ressuscitou com Cristo e nos fez sentar com ele nos domínios celestiais, porque agora estamos em Cristo Jesus.

Efésios 2.4-6

Mas, se confessamos nossos pecados, ele é fiel e justo para perdoar nossos pecados e nos purificar de toda injustiça.

1João 1.9

*Outros:* Isaías 55.11; João 10.10; Romanos 6.6-7, 14; 10.9-10; 12.1-2; 2Coríntios 5.14-15; Gálatas 2.20; Hebreus 4.12; 1Pedro 1.3-4; 1João 3.7-10.

# 2

# Confissão de sua identidade em Cristo

> Quando ele morreu, foi de uma vez por todas, para quebrar o poder do pecado. Mas agora que ele vive, é para a glória de Deus. Da mesma forma, considerem-se mortos para o poder do pecado e vivos para Deus em Cristo Jesus.
>
> ROMANOS 6.10-11

Devemos conhecer as Escrituras não apenas na teoria, mas, acima de tudo, na prática. É a obediência à Palavra que faz a diferença. Quem age assim é como o construtor sábio que edifica sua casa sobre a rocha.

> Quem ouve minhas palavras e as pratica é tão sábio como a pessoa que constrói sua casa sobre uma rocha firme. Quando vierem as chuvas e as inundações, e os ventos castigarem a casa, ela não cairá, pois foi construída sobre rocha firme. Mas quem ouve meu ensino e não o pratica é tão tolo como a pessoa que constrói sua casa sobre a areia. Quando vierem as

chuvas e as inundações e os ventos castigarem a casa, ela cairá com grande estrondo.

Mateus 7.24-27

O segredo para a construção de uma casa inabalável é a edificação da estrutura sobre um alicerce sólido. A Escritura é esse alicerce sobre o qual devemos fundamentar nossa existência. Devemos ouvir e praticar a Palavra. Jesus fez uma diferenciação entre quem a ouve e a pratica e quem a ouve e não a pratica. A qual grupo você pertence? O dos sábios ou o dos tolos? Eu não quero pertencer ao grupo dos tolos, porque a casa dessas pessoas cai quando surgem as tempestades, as crises, as lutas e as dificuldades. É por isso que existe tanta gente que, mesmo indo à igreja, vive de forma desordenada. Até frequentam as reuniões, mas não praticam o que aprendem. Quando surgem os problemas no lar, na família, no casamento, no trabalho, no negócio ou na saúde, se desesperam e ficam perdidos, sem saber como agir.

Já quem conhece a solidez da rocha que é Cristo e faz o que ele diz não se entrega ao desespero. Assim como Paulo, essa pessoa sabe que "nem morte nem vida, nem anjos nem demônios, nem o que existe hoje nem o que virá no futuro, nem poderes, nem altura nem profundidade, nada, em toda a criação, jamais poderá nos separar do amor de Deus revelado em Cristo Jesus, nosso Senhor" (Rm 8.38-39). A proximidade com o que o Senhor nos diz nas Escrituras nos faz saber quem de fato somos: filhos amados de Deus.

## Nova criatura em Cristo

Jesus veio ao mundo com o intuito de nos salvar e nos dar uma nova natureza, a natureza santa e justa dele mesmo. É por isso que ele foi ao Calvário. Lá, ele realizou o maior de todos os milagres que a humanidade poderia testemunhar. Na morte, Jesus tomou nossa natureza má e pecaminosa e a crucificou.

Quando o Senhor ressuscitou, ele nos garantiu a oportunidade de ter uma nova natureza. Jesus explicou esse milagre a Nicodemos, um judeu sábio, filósofo e grande intérprete da lei de sua época. Nicodemos era uma criatura de Deus e, no entanto, precisava tornar-se filho do Criador.

> Havia um fariseu chamado Nicodemos, líder religioso entre os judeus. Certa noite, veio falar com Jesus e disse: "Rabi, todos nós sabemos que Deus enviou o senhor para nos ensinar. Seus sinais são prova de que Deus está com o senhor".
>
> Jesus respondeu: "Eu lhe digo a verdade: quem não nascer de novo, não verá o reino de Deus".

> "Como pode um homem velho nascer de novo?", perguntou Nicodemos. "Acaso ele pode voltar ao ventre da mãe e nascer uma segunda vez?"
>
> Jesus respondeu: "Eu lhe digo a verdade: ninguém pode entrar no reino de Deus sem nascer da água e do Espírito. Os seres humanos podem gerar apenas vida humana, mas o Espírito dá à luz vida espiritual. Portanto, não se surpreenda quando eu digo: 'É necessário nascer de novo'".
>
> João 3.1-7

Quem tem apenas a natureza humana é nascido unicamente da carne, mas quem tem a natureza divina é nascido do alto, de Deus. Por isso, você precisa nascer de novo e experimentar o poder transformador da natureza divina que o Salvador pode lhe proporcionar. Observe que, de acordo com Jesus, existem dois elementos: *vida humana e vida espiritual.* Ao ouvir aquela declaração, Nicodemos ficou confuso. Deveria ele voltar ao ventre de sua mãe e nascer outra vez? A resposta de Jesus mostrou que é preciso nascer de Deus.

Filhos de Deus são aqueles que têm a natureza do Pai celestial. Por isso é possível notar a diferença entre filhos de Deus e criaturas de Deus até mesmo entre os membros de uma congregação. A diferença reside no fato de que os filhos são obedientes, são verdadeiros discípulos do Senhor e refletem o amor do Pai, pois têm a natureza dele. Os que são apenas criaturas não obedecem, são rebeldes e provocam escândalos.

Para confessar vitoriosamente a Palavra, é fundamental que você saiba qual é a sua identidade em Cristo. Você já se perguntou: "Quem sou eu?". Ao responder a essa indagação de acordo com o que a Bíblia diz, poderá se levantar com autoridade diante das circunstâncias que se lhe apresentam no dia a dia e afirmar: "Sou filho amado do Pai e não temerei mal algum, pois ele está comigo!". *Como filhos, somos herdeiros de Deus e co-herdeiros com Cristo.* Esse é o ensino de Jesus. Os filhos podem conversar abertamente com o pai, expressar-lhe suas carências e tomar posse de sua herança. Que grande privilégio é usufruir de tão maravilhosa comunhão!

*Os filhos são obedientes, são verdadeiros discípulos do Senhor e refletem o amor do Pai, pois têm a natureza dele. Os que são apenas criaturas não obedecem, são rebeldes e provocam escândalos.*

Quanto aos que não são filhos, a quem poderão recorrer quando chegar o dia mau? Eles têm apenas um pai de carne e osso, humano e limitado. Mas o nosso Pai é celestial e divino, é o Senhor, o Criador, o Todo-poderoso, e dele somos herdeiros. Essa é a diferença. "Vejam como é grande o amor do Pai por nós, pois ele nos chama de filhos, o que de fato somos!" (1Jo 3.1).

Se você não nascer de novo, não entrará no reino dos céus. Entrar no reino não é o mesmo que entrar em uma igreja, em um prédio ou em qualquer lugar no qual cristãos estejam reunidos. Não! Entrar no reino é estar debaixo da autoridade do Rei.

Muitas pessoas frequentam as reuniões da comunidade local, cantam, dançam e se emocionam, mas não são verdadeiros súditos do reino. De fato, existem aqueles que participam de ministérios e fazem trabalhos na casa do Senhor, mas não são salvos. Tais pessoas até estão em meio ao povo de Deus e se parecem com os servos do Altíssimo, mas são como joio no meio do trigo. Conhecem a Palavra, mas não lhe obedecem. Vivem, infelizmente, segundo a vontade da natureza humana.

Ainda assim, como pastor, dou boas-vindas a todos, para que sejam transformados em filhos pelo novo nascimento. Morre lobo e ressuscita ovelha. Morre filho do diabo e ressuscita filho de Deus. Aliás, não devemos rotular qualquer um como se fôssemos "carimbadores do reino dos céus". A separação entre joio e trigo será feita por Jesus. Nosso papel é ministrar a verdade a todos, no intuito de que a pregação provoque genuína mudança de vida em quem se diz cristão e não é. Observe com atenção a parábola do joio e do trigo:

> "O reino dos céus é como um agricultor que semeou boas sementes em seu campo. Enquanto os servos dormiam, seu inimigo veio, semeou joio no meio do trigo e foi embora. Quando a plantação começou a crescer, o joio também cresceu.
>
> "Os servos do agricultor vieram e disseram: 'O campo em que o senhor semeou as boas sementes está cheio de joio. De onde ele veio?'.
>
> "'Um inimigo fez isso', respondeu o agricultor.
>
> "'Devemos arrancar o joio?', perguntaram os servos.
>
> "'Não', respondeu ele. 'Se tirarem o joio, pode acontecer de arrancarem também o trigo. Deixem os dois crescerem juntos até a colheita. Então, direi aos ceifeiros que separem o joio, amarrem-no em feixes e queimem-no e, depois, guardem o trigo no celeiro'".
>
> Mateus 13.24-30

Jesus disse que não se deve mexer no joio, mas sim deixá-lo crescer junto ao trigo. Se ele o disse, assim devemos fazê-lo. Fato interessante é que, mesmo sendo muito parecidos, conseguimos diferenciá-los. Há algum tempo, estive em Israel com Sérgio, um guia muito atencioso e gentil que me levou para conhecer uma plantação de trigo. Em meio à plantação, havia joio. Sérgio me mostrou todas as diferenças entre os dois: o joio é parecido com o trigo, só que os galhos dele são altos e não tão compridos. Eles crescem como se fossem espinhos. Não é curioso? De fato, o joio provoca confusão e transtornos no meio em que está inserido, como um verdadeiro espinho. É fofoqueiro, tendencioso, briguento e soberbo. Você conhece algum joio? Seria você um?

Não se iluda. Jesus disse: "Toda árvore que não produz bons frutos é cortada e lançada ao fogo. Portanto, é possível identificar a pessoa por seus frutos" (Mt 7.19-20). Seus frutos estão a seu favor ou contra você. Como está a qualidade de sua produção? Se não estiver satisfatória, mude enquanto há tempo. Em minha sala há um joio emoldurado em um quadro para que eu possa olhar e me lembrar de que tenho de cuidar bem do rebanho do Senhor, de modo que o joio seja transformado em trigo. Há esperança.

## Além das aparências

Sua aparência não impressiona Deus. Ele observa tudo: coração, atos e caráter. Não adianta carregar a Bíblia debaixo do braço, ter expressão de piedoso e um olhar angelical. Eu costumo dizer para a minha comunidade: "Querem conhecer algumas diferenças entre a ovelha e o bode? A ovelha é humilde e simples. Já o bode é arisco e bravio. Contrarie o bode e ele sairá esperneando, coxeando e metendo o pé em tudo o que estiver pela frente. A ovelha é obediente; o bode é rebelde. A ovelha é dócil; o bode é cruel, duro e implacável". Deus sabe quem você é de verdade! Se você for bode, saiba que é hora de acordar antes que seja tarde. Arrependa-se e converta-se.

Mesmo conhecendo alguns "joios", nossa atitude para com eles deve ser de amor. Jesus disse: "Por isso, agora eu lhes dou um novo mandamento: Amem uns aos outros. Assim como eu os amei, vocês devem amar uns aos outros. Seu amor uns pelos outros provará ao mundo que são meus discípulos" (Jo 13.34-35). Eu faço o que Jesus nos mandou fazer, amar uns aos outros. Ponto. Eu quero amar cada indivíduo. Aquele que for bode mudará de vida e se entregará a Cristo; morrerá bode e ressuscitará ovelha. Sim, eu creio no poder de transformação que há nas boas-novas de Cristo! De criatura se tornará filho de Deus.

Os filhos são aqueles que aprendem a declarar a identidade pessoal que possuem. Eles confessam que são filhos do Criador por causa das declarações que as Escrituras fazem a respeito do novo nascimento que Cristo operou neles. A inclusão na morte de Cristo lhes garantiu a morte para o pecado e a ressurreição para a justiça. Morte para o passado e ressurreição para uma nova vida que não está relacionada somente ao momento presente, mas também ao porvir. Podem dizer que estão crucificados com Cristo, de modo que não são eles que vivem, mas Cristo vive neles. De fato, quando vivemos sob essa perspectiva, podemos dizer que somos cristãos, porque, por meio de Cristo, a lei do Espírito de vida nos libertou da lei do pecado e da morte.

*Eu quero amar cada indivíduo. Aquele que for bode mudará de vida e se entregará a Cristo; morrerá bode e ressuscitará ovelha. Sim, eu creio no poder de transformação que há nas boas-novas de Cristo! De criatura se tornará filho de Deus.*

O que acontece comigo quando estou crucificado? Eu morro para a lei. Que lei? A lei do pecado e da morte. Quem está morto, está morto; morreu! Se bem que há quem acredite ser possível ficar "morto pela metade". Como me disse alguém: "Pastor, eu estou morto, mas é o seguinte: a minha mão está fora do caixão. Se alguém pisar na bola, taco-lhe a mão na cara". Será que pessoas como essa realmente morreram para o pecado?

Você já viu gente morta pela metade? Eu nunca vi. Quando eu vou realizar um ofício fúnebre e elogio o finado, lá pelas tantas penso: "Será que ele vai me agradecer?". Nunca um morto me agradeceu! Ainda bem, senão o pessoal sairia correndo. Porque quem morreu, morreu. Dê um beliscão no morto e veja se ele acha ruim. Não existe morto pela metade, como também não existe crente pela metade.

Todos fomos incluídos na morte juntamente com Cristo; morremos com ele. Relembremos as palavras de Paulo: "Fui crucificado com Cristo; assim, já não sou eu quem vive, mas Cristo vive em mim" (Gl 2.20). Se falamos como o apóstolo, é Jesus quem exerce a primazia e a autoridade em nossa vida. Cristo passou a ser a nossa identidade. Eu passei a ser como Jesus, um pequeno Cristo, um cristão. Jesus tornou-se a minha vida. Fui crucificado com ele. Assim, já não sou eu quem vive, mas Cristo vive em mim. A vida que agora vivo no corpo — a que levo no meu dia a dia —, eu a vivo pela fé no Filho de Deus, que me amou e se entregou por mim. Essa realidade é a obra que Jesus realizou, é o milagre que ele operou em meu coração. Isso é cristianismo.

Talvez tudo o que foi dito possa ser novo para você, pois as religiões não trafegam nesse âmbito. Elas operam por fora, baseiam-se em regras e no esforço humano para gerar mudanças. O cristianismo, por sua vez, é uma transformação que vem do alto e acontece no coração de quem crê. Até mesmo cristãos de longa data que não leem a Bíblia talvez não desfrutem essa sublime transformação operada por Deus. Não é difícil encontrar crentes antigos que só conhecem chavões e frases de efeito: "Está amarrado", "O sangue de Jesus tem poder", "Misericórdia". Como lutariam vitoriosamente se conhecessem bem quem são! Levantariam com poder e autoridade toda vez que Satanás tentasse enganá-los e trazer dúvida ao coração deles e diriam: "Satanás, eu estou crucificado com Cristo, é o que as Escrituras dizem. Já não sou eu quem vive, mas Cristo vive em mim. Saia daqui, Satanás, pois Jesus é a minha vida!".

Como pastor, sei que muitos não entendem as boas-novas de Cristo. Por isso é importante repetir as bases de nossa fé, várias vezes. Assim, essas verdades fundamentais são gravadas no coração de quem as escuta. Quando perguntaram a meu amigo Juan Carlos Ortiz quantas vezes um pastor deve pregar um mesmo sermão, ele respondeu: "Quantas vezes forem necessárias para que o povo possa praticá-lo". Que afirmação coerente e assertiva! Existem alguns pastores que se regozijam porque nunca repetiram um mesmo sermão. Isso é uma desgraça para o rebanho. É por essa razão que reforço informações, pois uma hora a semente cai, germina, cresce e frutifica. O coração recebe a Palavra e acontece a conversão — uma nova criatura nasce. Não há outra forma de ser transformado, o caminho é único. Não há como maquiar e tentar nascer de novo por força própria. É apenas pela fé em Cristo. E a fé, como sabemos, vem por ouvir a Palavra. Novo nascimento é graça, é um milagre.

*Não há como maquiar e tentar nascer de novo por força própria. É apenas pela fé em Cristo. E a fé, como sabemos, vem por ouvir a Palavra. Novo nascimento é graça, é um milagre.*

Você já ouviu a história do urubu que queria ser pomba? O urubu via a pequena pomba e desejava desfrutar aquela leveza e singeleza. Como bem se sabe, o urubu é carnívoro e a pomba é granívora. O urubu viu a pomba e disse: "Eu queria tanto ser uma pomba. Queria ter nascido pomba. Não gosto de ter nascido urubu". Foi quando ele foi a um salão de beleza e pediu que pintassem suas penas. O pessoal do salão fez a tintura e deixou o grandalhão todo vaidoso. Ele tentou se comportar como uma pomba, até que sentiu fome. Não aguentou comer sementes, deixou de lado aquela história toda de ser pomba e voltou a procurar carniça. É isso que acontece com quem tenta ser cristão por meio da habilidade meramente humana.

Assim como o urubu, existe muita gente na igreja que gosta de banho de água oxigenada. Muda de pluma, de pelo, de roupa, mas não muda de natureza. Para que o urubu se tornasse pomba, teria de morrer urubu e ressuscitar pomba. Sabe o que você tem de fazer para viver a nova vida em Cristo? Morrer para a vida de pecado e ressuscitar para a vida de santidade. Muitos se banham na água oxigenada da religião, mas isso não é suficiente, pois não transforma o coração. Continuam com a mesma natureza: infiéis, corruptos, mentirosos, desonestos, mesquinhos, invejosos, perversos, escravos do pecado. Não adianta tomar um banho de tintura; é necessário morrer urubu e ressuscitar pomba — o que não é impossível. O Espírito Santo pode operar esse milagre.

## Chamado para ser santo

A identidade que devemos confessar em Cristo pressupõe que sejamos santos. Paulo escreveu aos cristãos romanos: "Escrevo a todos vocês que estão em Roma, amados por Deus e chamados para ser seu povo santo. Que Deus, nosso Pai, e o Senhor Jesus Cristo lhes deem graça e paz" (Rm 1.7). A quem a carta se destina? *A todos que são amados de Deus e chamados para ser seu povo santo.* Quando nasceu de novo, você foi chamado para ser *santo.* Isso tem de fazer parte inegociável de sua identidade.

Ser santo é ser separado do pecado. Santo é aquele que é nascido de Deus e vive uma vida de obediência. Cristianismo é isso, não é uma instituição criada para distribuir bênçãos e prosperidade. O cristianismo que Jesus deixou tem como prioridade básica fazer de você uma pessoa santa.

O ser humano feito santo respeitará o cônjuge e os filhos e obterá alegria na convivência familiar e conjugal, será diligente no trabalho e colherá bons frutos na vida profissional, saberá lidar de forma ética e responsável com as finanças e desfrutará prosperidade e abundância. Tais bênçãos são consequências de uma caminhada de obediência ao padrão de Deus para a vida humana. O chamado primeiro do cristianismo autêntico não são bênçãos materiais, mas sim a santidade. Não somos chamados para ser ricos ou para viver em um mar de rosas.

Algumas igrejas andam pregando mentiras, ao dizer: "Pare de sofrer. Venha para Jesus e você nunca mais ficará doente, nem passará por dificuldades". Você já ouviu essas besteiras? Como parar de sofrer se o sofrimento é a bênção que Deus separou para cada um de nós? Por meio do sofrimento, conhecemos a graça, a bondade e a misericórdia do Senhor. Quem nunca sofreu? Todos já passamos pelo sofrimento de uma forma ou de outra. Quantos de nós deixaremos de sofrer? Nenhum! Sofrimento faz parte da contingência da vida humana. As Escrituras dizem que Jesus aprendeu a obedecer por aquilo que sofreu (Hb 5.8). Pelo sofrimento, aprendeu a reconhecer a soberania de Deus. Foi em plena aflição que ele disse: "Meu Pai! Se for possível, afasta de mim este cálice. Contudo, que seja feita a tua vontade, e não a minha" (Mt 26.39). Ele não precisava jamais passar por qualquer tipo de dor e agonia, mas sofreu tudo isso em nosso lugar para mostrar que é possível aprendermos a vontade soberana de Deus.

Quando você se entrega a Jesus, se converte e nasce de novo, o processo de santificação começa a operar em sua vida. Inicia-se uma nova e maravilhosa jornada: hoje, mais santo do que ontem; amanhã, mais santo do que hoje. Por isso, o livro de Apocalipse declara: "Que o mau continue a praticar a maldade; que o impuro continue a ser impuro; que o justo continue a viver de forma justa; que o santo continue a ser santo" (Ap 22.11). Não dá para ficar entre dois reinos, entre dois senhores (Mt 6.24).

Tem gente que tenta ficar em cima do muro, meio santo, meio ímpio, mas isso é impossível. Ou você é santo, porque tem natureza santa, ou é ímpio, porque tem natureza ímpia. Ao dirigir-se aos coríntios, Paulo referiu-se àquela comunidade de cristãos como a "igreja de Deus em Corinto, [aqueles] que ele santificou por meio de Cristo Jesus. Vocês foram chamados por Deus para ser seu povo santo junto com todos que, em toda parte, invocam o nome de nosso Senhor Jesus Cristo, Senhor deles e nosso" (1Co 1.2). A quem ele escreveu? *Aos santificados em Cristo!* Paulo estava escrevendo para gente como você e eu. Essa carta aplica-se também a nós. Para

*Tem gente que tenta ficar em cima do muro, meio santo, meio ímpio, mas isso é impossível. Ou você é santo, porque tem natureza santa, ou é ímpio, porque tem natureza ímpia.*

que você foi chamado? Para ser santo, nada menos do que isso!

Veja o que mais ele escreveu: "Eu, Paulo, chamado pela vontade de Deus para ser apóstolo de Cristo Jesus, escrevo esta carta, com nosso irmão Timóteo, à igreja de Deus em Corinto e a todo o seu povo santo em toda a Acaia. Que Deus, nosso Pai, e o Senhor Jesus Cristo lhes deem graça e paz" (2Co 1.1-2). Quem eram aqueles santos a quem Paulo se referiu? Eram as pessoas que participavam da igreja de Corinto, pessoas comuns, como nós e nossas congregações. Era gente que formava uma igreja que também tinha problemas. Lá em Corinto havia mexeriqueiros, mentirosos, desavergonhados e covardes. Paulo olha para aquela turma e os considera santos, pois ele via o que Cristo já tinha feito por eles. Não aceite menos do que isso. Se o diabo lhe disser: "Não, você não é santo, nem salvo. Afinal de contas, você mentiu hoje de manhã e teve pensamentos impuros na semana passada", diga-lhe: "A Escritura diz, Satanás, que eu fui transformado em santo de Deus, por meio da minha inclusão na morte e na ressurreição de Cristo. Sou uma nova criatura. Tenho uma nova vida. As coisas velhas passaram e tudo se fez novo". Sim, confesse sua identidade em Cristo!

É mais fácil pregar assim: "Irmãos, preparem--se, porque hoje vocês ficarão ricos! Coloquem a mão no bolso, e a bênção da riqueza e da prosperidade irá para a sua conta bancária. Continuem a viver como bem desejam, não tem importância, o que importa é que ficarão ricos!". Quero lhe dizer que quem prega esse tipo de absurdo receberá o juízo dos céus. Tais pessoas terão de prestar contas por fazer o povo de Deus tropeçar. Eu prefiro pregar a verdade, por mais dura que possa ser.

## Fiéis

Ao escrever para os cristãos efésios, Paulo se referiu a eles não apenas como santos, mas também como fiéis. Veja: "Eu, Paulo, apóstolo de Cristo Jesus pela vontade de Deus, escrevo esta carta ao povo santo em Éfeso, seguidores fiéis de Cristo Jesus" (Ef 1.1). Aqueles irmãos ouviram o mesmo evangelho que você. Conheceram as mesmas verdades que você. Paulo afirmava a fé e a identidade deles, chamando-os de santos e fiéis, pois eles desfrutavam da natureza divina.

Se Cristo é sua vida, você é fiel. Não tem jeito. Por isso, no trabalho o seu comportamento é diferente. Mesmo sem sua esposa estar presente, você mantém sua integridade, seu exemplo e seu compromisso com ela. Não é daqueles que não podem ver um rabo de saia ou que vivem metidos em imoralidades. Como nova criatura separada do pecado, você permanece fiel aos filhos, aos irmãos, ao chefe e ao pastor. Isso não acontece por mera vontade humana, mas porque há uma nova vida em seu interior. É por isso que, às vezes, tentamos fazer as pessoas serem fiéis e damos com os burros n'água. Pessoas não regeneradas não conseguem ser fiéis. Com base no esforço humano, nada adiantará. Ser santo e fiel é resultado de um milagre, o milagre do novo nascimento.

*Pessoas não regeneradas não conseguem ser fiéis. Com base no esforço humano, nada adiantará. Ser santo e fiel é resultado de um milagre, o milagre do novo nascimento.*

Do que o diabo tem medo? Do sujeito que apenas frequenta a igreja? Não! Ele tem medo do santo e fiel, porque sabe que tal pessoa está livre da escravidão; morreu para o pecado e ressuscitou para a justiça. Essa pessoa tem autoridade espiritual e pode levantar-se destemidamente contra as forças das trevas. E você, pode confessar que já se arrependeu de seus pecados, nasceu de novo e é nova criatura? Já tomou a decisão sincera de entregar a vida a Jesus? Porque, se você ainda não nasceu de novo, não conseguirá entender o que estou falando; a mente fica bloqueada. "O deus deste mundo cegou a mente dos que não creem, para que não consigam ver a luz das boas-novas, não entendendo esta mensagem a respeito da glória de Cristo, que é a imagem de Deus" (2Co 4.4). Se não é santo e fiel, não consegue lutar contra o pecado e o mal. Seu cristianismo é vacilante.

> Amados, já somos filhos de Deus, mas ele ainda não nos mostrou o que seremos quando Cristo vier. Sabemos, porém, que seremos semelhantes a ele, pois o veremos como ele realmente é. E todos que têm essa esperança se manterão puros, como ele é puro.
>
> Quem vive no pecado transgride a lei, pois todo pecado é contrário à lei. E vocês sabem que ele veio para tirar nossos pecados, e nele não há pecado. Quem permanece nele não continua a pecar. Mas quem continua a pecar não o conhece e não entende quem ele é.
>
> Filhinhos, não deixem que ninguém os engane a este respeito: quando uma pessoa faz o que é justo, mostra que é justa, como ele é justo. Mas, quando continua a pecar, mostra que pertence ao diabo, pois o diabo peca desde o início. Por isso o Filho de Deus veio, para destruir as obras do diabo. Aquele que é nascido de Deus não vive no pecado, pois a vida de Deus está nele. Logo, não pode continuar a pecar, pois é nascido de Deus. Assim, podemos identificar quem é filho de Deus e quem é filho do diabo. Quem não pratica a justiça e não ama seus irmãos não pertence a Deus.

Esta é a mensagem que vocês ouviram desde o princípio: que amemos uns aos outros.

1João 3.2-11

Todo aquele que é nascido de Deus não se compraz no pecado, porque a semente de Deus permanece nele. Dessa forma, sabemos quem são os filhos de Deus e quem são os filhos do diabo. Quem é joio e cristão de fachada não consegue praticar a justiça, amar seu irmão e ser santo e fiel, pois não consegue fazer isso por esforço próprio. Quem se entrega ao pecado e tem alegria na desobediência é filho do diabo e não é nascido do Pai. Confesse sua identidade em Cristo e seja vitorioso!

## Para reflexão individual ou em grupo

Quais são as implicações de ter uma nova natureza em Cristo?

Qual é sua identidade em Cristo? Por que é importante confessá-la?

O que significa para um cristão ser santo e fiel?

## Versículos transformadores para memorizar e praticar

Porei dentro de vocês meu Espírito, para que sigam meus decretos e tenham o cuidado de obedecer a meus estatutos.

Ezequiel 36.27

"Quem conhece os pensamentos do Senhor? Quem sabe o suficiente para instruí-lo?". Mas nós temos a mente de Cristo.

1Coríntios 2.16

Pois vocês morreram para esta vida, e agora sua verdadeira vida está escondida com Cristo em Deus.

Colossenses 3.3

*Outros:* João 7.37-39; 17.22; Romanos 5.9; 8.30; Efésios 1.7; 2.6.

# 3

# Confissão que gera perdão

> Se afirmamos que não temos pecados, enganamos a nós mesmos e não vivemos na verdade. Mas, se confessamos nossos pecados, ele é fiel e justo para perdoar nossos pecados e nos purificar de toda injustiça.
>
> 1João 1.8-9

A confissão vitoriosa do crente em Jesus traz consigo a certeza do perdão dos pecados. Já sabemos que, quando Cristo morreu, nós morremos com ele, portanto estamos crucificados com Jesus. Também sabemos que, quando o Senhor ressuscitou, nós ressuscitamos com ele. Agora, é importante ter ciência de que essa realidade tem uma consequência: quando Cristo morreu na cruz, todos os meus pecados foram perdoados. Podemos desfrutar plenamente o perdão de Deus quando entregamos nossa vida a Jesus e confessamos nossos pecados com arrependimento sincero no coração.

A Bíblia é claríssima sobre esse assunto ao afirmar que, se confessarmos nossos pecados, o Senhor é fiel e justo para perdoá-los e nos purificar. Deus espera que nos acheguemos a ele com o coração contrito, em busca de seu perdão. Se você assim fizer, poderá se levantar de sua oração com a certeza de que o Senhor não lhe negou o perdão total de seus pecados. Lembra-se da parábola do filho perdido? Como o pai da história, assim Deus faz conosco: ele nos recebe de braços abertos e com alegria. Mesmo que você já conheça bem a história, leia uma vez mais, prestando atenção à reação do pai diante do filho arrependido e todo o amor e a graça envolvidos nessa atitude.

> Jesus continuou: "Um homem tinha dois filhos. O filho mais jovem disse ao pai: 'Quero a minha parte da herança', e o pai dividiu seus bens entre os filhos.
>
> "Alguns dias depois, o filho mais jovem arrumou suas coisas e se mudou para uma terra distante, onde desperdiçou tudo que tinha por viver de forma desregrada. Quando seu dinheiro acabou, uma grande fome se espalhou pela terra, e ele começou a passar necessidade. Convenceu um fazendeiro da região a empregá-lo, e esse homem o mandou a seus campos para cuidar dos porcos. Embora quisesse

saciar a fome com as vagens dadas aos porcos, ninguém lhe dava coisa alguma.

"Quando finalmente caiu em si, disse: 'Até os empregados de meu pai têm comida de sobra, e eu estou aqui, morrendo de fome. Vou retornar à casa de meu pai e dizer: Pai, pequei contra o céu e contra o senhor, e não sou mais digno de ser chamado seu filho. Por favor, trate-me como seu empregado'.

"Então voltou para a casa de seu pai. Quando ele ainda estava longe, seu pai o viu. Cheio de compaixão, correu para o filho, o abraçou e o beijou. O filho disse: 'Pai, pequei contra o céu e contra o senhor, e não sou mais digno de ser chamado seu filho'.

"O pai, no entanto, disse aos servos: 'Depressa! Tragam a melhor roupa da casa e vistam nele. Coloquem-lhe um anel no dedo e sandálias nos pés. Matem o novilho gordo. Faremos um banquete e celebraremos, pois este meu filho estava morto e voltou à vida. Estava perdido e foi achado!'. E começaram a festejar.

"Enquanto isso, o filho mais velho trabalhava no campo. Na volta para casa, ouviu música e dança, e perguntou a um dos servos o que estava acontecendo. O servo respondeu: 'Seu irmão voltou, e seu pai matou o novilho gordo, pois ele voltou são e salvo!'.

"O irmão mais velho se irou e não quis entrar. O pai saiu e insistiu com o filho, mas ele respondeu: 'Todos esses anos, tenho trabalhado como um escravo para o senhor e nunca me recusei a obedecer às suas ordens. E o senhor nunca me deu nem mesmo um cabrito para eu festejar com meus amigos. Mas, quando esse seu filho volta, depois de desperdiçar o seu dinheiro com prostitutas, o senhor comemora matando o novilho!'.

"O pai lhe respondeu: 'Meu filho, você está sempre comigo, e tudo que eu tenho é seu. Mas tínhamos de comemorar este dia feliz, pois seu irmão estava morto e voltou à vida. Estava perdido e foi achado!'".

Lucas 15.11-32

Deus se alegra ao ver um coração arrependido e não retém o perdão ao espírito quebrantado. Isso acontece porque um alto preço já foi pago para que pudéssemos desfrutar seu perdão. O preço de nossa iniquidade caiu sobre Jesus (Is 53.6). O Salvador já pagou o preço.

*Deus se alegra ao ver um coração arrependido e não retém o perdão ao espírito quebrantado. Isso acontece porque um alto preço já foi pago para que pudéssemos desfrutar seu perdão.*

O diabo não quer que você saiba disso. Ele faz questão de que você seja ignorante em relação a essa verdade, para continuar escravizando-o e mantendo-o longe de Deus, cheio de culpa, de remorso e até de raiva do Senhor. Como disse uma conhecida minha em meio a um tempo de tribulação: "Que mal eu fiz a Deus para sofrer deste jeito?". Em seu questionamento, ela revelou sua compreensão equivocada em relação à ação do Pai. Nem sempre tribulação é sinônimo de juízo divino.

Muitas pessoas pensam que Deus está esperando um erro de seus filhos para que possa puni-los de alguma forma. Nosso Deus não age assim. Ele é o Deus do consolo, do amor, do perdão, da restauração e da vida. Ele não espera que cometamos um deslize para nos massacrar. A seus filhos ele reserva seu zelo, e não sua ira. A ira é para os que persistem na desobediência sem arrependimento.

Se Deus perdoou seus pecados, quantos deles restam em sua vida? Nenhum! Como ele o punirá se já não há motivo? Se você confessou suas transgressões com coração sincero, está perdoado. Você é merecedor dessa graça? É claro que não. Tudo é obra de Cristo. É ele quem faz da vida cristã algo vibrante. O que faz você amar as pessoas? *Cristo!* Quem pagou o preço por seus pecados? *Cristo!* O mérito e a graça são dele, e não suas.

Não há nada de bom que possamos fazer para impressionar Deus, pois o amor humano é egoísta, mesquinho e orgulhoso. De acordo com a Bíblia, todos os nossos atos de justiça são como trapo imundo (Is 64.6). A justiça de Cristo é paz, amor, alegria e vida no Espírito Santo.

## O sofrimento dos santos

Como vimos no capítulo anterior, santos são aqueles que estão separados do pecado e da injustiça. Isso não significa, porém, que eles terão uma vida livre de problemas aqui na terra. Santos também sofrem. As tribulações que os acometem, no entanto, têm a finalidade de aperfeiçoá-los e purificá-los; nem sempre são punições. Muitas vezes, são o meio pelo qual Deus os instrui. É no meio das crises que os santos aprendem as maiores lições da jornada. Não acredite no evangelho que prega o triunfalismo e uma vida imune a infortúnios. Jesus disse: "Aqui no mundo vocês terão aflições, mas animem-se, pois eu venci o mundo" (Jo 16.33).

Cristãos ficam doentes e morrem, pois nascemos debaixo da maldição do pecado. Como precisamos confessar nossas transgressões! Vivemos em um mundo caído e encharcado pelo pecado, onde todos estão sujeitos às mesmas intempéries. Você está sujeito a receber um tiro de bala perdida, sofrer um assalto, perder o emprego ou bater o carro. Isso não quer dizer que seja menos cristão ou que esteja em pecado.

*Cristãos ficam doentes e morrem, pois nascemos debaixo da maldição do pecado. Como precisamos confessar nossas transgressões!*

Quando intercedeu por todos os cristãos, Jesus disse ao Pai: "Não peço que os tires do mundo, mas que os protejas do maligno" (Jo 17.15). O sofrimento é inerente à natureza humana. O importante é enxergarmos cada situação da perspectiva do céu, pois todas as coisas cooperam juntamente para o bem dos que amam a Deus (Rm 8.28). Possíveis tribulações podem acometê-lo, mesmo que você seja um santo irrepreensível. O que dizer de José na prisão, de Daniel na cova dos leões, de Sadraque, Mesaque e Abede-Nego na fornalha de fogo, e de Jesus, que suou como gotas de sangue de tanta aflição no Getsêmani? Todos eles sofreram. Por que você esperaria não sofrer?

Muitos crentes em Jesus vêm de tradições antigas e carregam o fardo de dogmas e doutrinas criados por homens. Esses irmãos têm dificuldade de assimilar o que a Bíblia muitas vezes diz de forma clara. Preferem ater-se aos conceitos equivocados de punição e àquela figura de um Deus bravio e irado. Muitos mantêm-se agarrados à ideia de que Deus é um velho barbudo que aguarda a oportunidade para dar uma bordoada na pessoa que erra. Você acha que Deus é vingativo? Acha que ele está esperando a chance para lhe acertar uma paulada na cabeça? Ou crê que o Pai está esperando para lhe dar um abraço?

Sim, Deus quer abraçar você. Assim como o pai do filho perdido, o Pai celestial aguarda o momento em que você se achegará a ele e lhe confessará seu pecado, para que ele lhe demonstre amor e perdão. Essa é a visão que a Bíblia nos dá a respeito do Pai celestial. Ele nos ama e está pronto para nos perdoar, nos receber e nos amar. "Porque Deus amou tanto o mundo que deu seu Filho único, para que todo o que nele crer não pereça, mas tenha a vida eterna. Deus enviou seu Filho ao mundo não para condenar o mundo, mas para salvá-lo por meio dele" (Jo 3.16-17). "De qualquer forma, o amor de Cristo nos impulsiona. Porque cremos que ele morreu por todos, também cremos que todos morreram. Ele morreu por todos, para que os que recebem sua nova vida não vivam mais para si mesmos, mas para Cristo, que morreu e ressuscitou por eles" (2Co 5.14-15). Ah, o amor de Deus nos impulsiona! Que belíssima afirmação!

> *Sim, Deus quer abraçar você. Assim como o pai do filho perdido, o Pai celestial aguarda o momento em que você se achegará e ele e lhe confessará seu pecado, para que ele lhe demonstre amor e perdão.*

Deus cumpre diariamente na vida de quem confessa vitoriosamente seus pecados a mesma promessa que fez aos israelitas: "Eu lhes darei um novo coração e colocarei em vocês um novo espírito. Removerei seu coração de pedra e lhes darei coração de carne" (Ez 36.26). Aquele coração de pedra, incrédulo, duro, presunçoso, orgulhoso, indiferente e cheio de ira, rancor e ódio foi retirado de nós! Agora temos um coração sensível, quebrantado, santo, piedoso e apaixonado pelo que é bom. Esse é o coração que Deus nos deu mediante a confissão de nosso pecado.

Se você me perguntar: "Pastor, o que é isso? É uma nova doutrina ou religião?", preciso dizer que essa é a antiga fé cristã, que muitos de nós infelizmente não conhecemos. As religiões nos ocultaram essa verdade com o passar dos séculos. Passamos a exercer uma fé pequena, que tem medo do diabo. Precisamos entender que o diabo não é páreo para o Altíssimo. O inimigo treme diante do Onipotente (Tg 2.19) e também diante do cristão penitente que faz da confissão sincera dos pecados um estilo de vida.

A Bíblia diz que sua verdadeira vida está oculta com Cristo em Deus (Cl 3.3). Para chegar a você, o diabo terá de passar por Deus. Por que, então, ter medo do adversário? Ele não tem poder nenhum sobre sua vida. Ele não tem nem mesmo o poder de acusá-lo de algum pecado que já tenha sido confessado e perdoado. Você vive em novidade de vida. Você foi perdoado, limpo, purificado, santificado e transformado pelo poder da Palavra do Senhor, para viver todos os dias em justiça e santidade. Confesse isso em alta voz!

## Para reflexão individual ou em grupo

Explique a relação que existe entre a confissão dos pecados, o arrependimento e o perdão de Deus.

Qual é a imagem que você tem de Deus e que desdobramentos ela tem em sua relação com ele e com o pecado?

Que promessa Deus cumpre diariamente na vida de quem confessa vitoriosamente os seus pecados?

## Versículos transformadores para memorizar e praticar

Ó Senhor, tu és tão bom, tão pronto a perdoar, tão cheio de amor por todos que te buscam.

Salmos 86.5

Ele perdoa todos os meus pecados e cura todas as minhas doenças. Ele me resgata da morte e me coroa de amor e misericórdia. Ele enche minha vida de coisas boas; minha juventude é renovada como a águia!

Salmos 103.3-5

Mas, se confessamos nossos pecados, ele é fiel e justo para perdoar nossos pecados e nos purificar de toda injustiça.

1João 1.9

*Outros:* Mateus 6.14-15; 18.21-22; Marcos 11.25-26; Lucas 6.37; Efésios 1.7; 4.32; Colossenses 3.13.

# 4

## Confissão com poder e autoridade das boas-novas de Cristo

> E que união pode haver entre o templo de Deus e os ídolos? Pois somos o templo do Deus vivo. Como ele próprio disse: "Habitarei e andarei no meio deles. Serei o seu Deus, e eles serão o meu povo".
>
> 2Coríntios 6.16

O Espírito Santo foi enviado ao mundo de forma única e especial no dia de Pentecostes, após a subida de Jesus aos céus. A partir daquele dia, ele passou a operar profusamente na vida dos servos do Senhor, que passaram a testemunhar com poder e intrepidez as boas-novas de Cristo. Veja os detalhes daquele evento extraordinário:

> No dia de Pentecostes, todos estavam reunidos num só lugar. De repente, veio do céu um som como o de um poderoso vendaval e encheu a casa onde estavam sentados. Então surgiu algo semelhante a chamas ou línguas de fogo que pousaram sobre cada

> um deles. Todos ficaram cheios do Espírito Santo e começaram a falar em outras línguas, conforme o Espírito os habilitava.
>
> Naquela época, judeus devotos de todas as nações viviam em Jerusalém. Quando ouviram o som das vozes, vieram correndo e ficaram espantados, pois cada um deles ouvia em seu próprio idioma.
>
> Muito admirados, exclamavam: "Como isto é possível? Estes homens são todos galileus e, no entanto, cada um de nós os ouve falar em nosso próprio idioma! Estão aqui partos, medos, elamitas, habitantes da Mesopotâmia, da Judeia, da Capadócia, do Ponto, da província da Ásia, da Frígia, da Panfília, do Egito e de regiões da Líbia próximas a Cirene, visitantes de Roma (tanto judeus como convertidos ao judaísmo), cretenses e árabes, e todos nós ouvimos estas pessoas falarem em nossa própria língua sobre as coisas maravilhosas que Deus fez!". Admirados e perplexos, perguntavam uns aos outros: "Que significa isto?".
>
> Atos 2.1-12

Na sequência desse acontecimento, Pedro faz uma pregação ousada e esclarecedora, confessando as boas-novas de Cristo com poder e autoridade. O resultado? "Os que acreditaram nas palavras de Pedro foram batizados, e naquele dia houve um acréscimo de cerca de três mil pessoas" (At 2.41).

Do dia de Pentecostes em diante, os discípulos de Cristo passaram a vivenciar uma experiência maravilhosa, o dom de ser morada do Espírito Santo. Deus, na terceira pessoa da Trindade, veio habitar no ser humano. Por isso, o cristianismo é mais do que obediência a determinada liturgia, técnica religiosa ou pensamento positivo; é mais do que religião, dogmas, preceitos e regras. Cristianismo é uma experiência com Deus, um relacionamento entre Pai e filho. A partir do momento em que entregamos a vida a Jesus, Deus se torna nosso Pai, e o Espírito Santo passa a morar em nós. É o Espírito Santo quem nos dá a capacidade de praticar a verdade e cumprir seus propósitos.

Quem não tem o Espírito Santo não consegue prosseguir no caminho estreito; pode até ser uma pessoa boa, educada, religiosa e frequentadora de cultos, mas se não tem uma experiência de transformação, a regeneração, não experimentará a plenitude da bênção que Deus preparou para seus filhos. Ser regenerado é ser gerado outra vez, transformado de filho do diabo em filho de Deus, de escravo do pecado em servo da justiça. É a *metanoia*, a mudança da mente e do coração. É por isso que, em vez de mudar de religião, o que precisamos de fato é experimentar a nova natureza, a transformação de todo o ser que só acontece quando temos um encontro real com Cristo.

Não adianta mudar apenas o exterior, apegando-se a dogmas, regras, usos e costumes: antes usava calças, agora só veste saias; antes usava bermuda, agora só anda de terno. Não adianta ser bela viola por fora e por dentro ser pão bolorento. Lembra-se do que Jesus disse aos judeus religiosos de seus dias? Ele os chamou de "túmulos pintados de branco" (Mt 23.27). Isso porque os túmulos eram bem pintados por fora, mas no interior daqueles bonitos ornamentos havia uma realidade fétida. Jesus chamou os religiosos de fachada de "hipócritas". Em outra ocasião, o Senhor os repreendeu da seguinte forma: "Que aflição os espera, mestres da lei e fariseus! Hipócritas! Têm o cuidado de dar o dízimo da hortelã, do endro e do cominho, mas negligenciam os aspectos mais importantes da lei: justiça, misericórdia e fé. Sim, vocês deviam fazer essas coisas, mas sem descuidar das mais importantes" (Mt 23.23). Aqueles homens dissimulados davam o dízimo das mínimas coisas, eram zelosos em fazer orações em praça pública e levantar as mãos aos céus para que todos vissem que eram muito religiosos, mas negligenciavam algo importante: eles distorciam as Escrituras e se afundavam numa prática falsa, cheia de preceitos humanos.

A vida cristã sem o Espírito Santo é mera formalidade comportamental. Por esforço próprio, as pessoas podem ser respeitosas e educadas, mas isso não significa que tiveram um real encontro com Jesus nem que são realmente salvas. Não se contente com uma fé fria e superficial. Não se contente em acreditar que vida cristã é apenas ir aos cultos, fazer boas obras, participar de um ministério e seguir determinados preceitos. É muito mais. É o Espírito Santo em nós, que nos faz viver plenamente e gera em nós "amor, alegria, paz, paciência, amabilidade, bondade, fidelidade, mansidão e domínio próprio" (Gl 5.22-23). E ter as virtudes do Espírito em nós capacita-nos a confessar as boas-novas de Cristo em nosso coração, por meio de atitudes, e em nossos lábios, por palavras cheias de poder e autoridade.

> *Ter as virtudes do Espírito em nós capacita-nos a confessar as boas-novas de Cristo em nosso coração, por meio de atitudes, e em nossos lábios, por palavras cheias de poder e autoridade.*

Igreja, de acordo com a Bíblia, não são construções de concreto, mas de carne e osso. Cada um de nós forma a Igreja, e o Espírito Santo é enviado para habitar em nosso interior. "Vocês têm se aproximado de Cristo, a pedra viva. As pessoas o rejeitaram, mas Deus o escolheu para lhe conceder grande honra. E vocês também são pedras vivas, com as quais um templo espiritual é edificado. Além disso, são sacerdotes santos. Por meio de Jesus Cristo, oferecem sacrifícios espirituais que agradam a Deus" (1Pe 2.4-5). Quais são nossos sacrifícios espirituais? O andar correto, a postura coerente e a obediência aos preceitos de Deus.

Nós precisamos do Espírito Santo para testemunhar o evangelho com poder e autoridade (At 1.8). Os discípulos receberam poder para que fossem testemunhas de Jesus por meio do batismo com o Espírito Santo. Assim como aconteceu no Pentecostes, o Espírito Santo nos é dado para que também sejamos testemunhas de Cristo. Muitas vezes temos dificuldade em comunicar ao mundo nossas experiências com o Senhor, mas podemos confiar que o Espírito Santo nos dará habilidade para fazê-lo de forma eficaz e contundente. Ele faz com que você experimente o poder do alto, a ponto de poder dizer: "Veja quem eu era e observe quem eu sou agora. Era miserável e pecador, mas Jesus incluiu-me em sua morte e ressurreição, perdoou meus pecados, derramou do seu Espírito em minha vida e agora sou realmente feliz. Sou, de fato, uma nova criatura". Isso é confessar com poder as boas-novas!

Quando o apóstolo Paulo escreveu as cartas à igreja de Tessalônica, deixou claro que os cristãos que estavam naquela localidade foram tão contundentes no testemunho pessoal que pessoas de outras comunidades ficaram positivamente impressionadas com a maneira como eles estavam vivendo. Ser testemunha de Cristo — isto é, confessar as boas-novas de salvação — pressupõe ter um estilo de vida semelhante ao de Jesus; é ser santo, fiel e justo como ele é, cheio de amor e apaixonado pelos perdidos. Essas, na realidade, são características da vida de Cristo que passam a fazer parte de nossa natureza quando nos rendemos completamente a ele.

Quer saber quando você é um homem regenerado e cheio do Espírito Santo? Quando sua esposa lhe diz: "Querido, seu cuidado e seu amor por mim fazem você cada vez mais parecido com Jesus". Quer saber quando você é uma mulher cheia da presença de Deus em seu interior? Quando seu marido lhe diz: "Querida, a maneira como você me ama e me honra me faz lembrar a conduta e a fidelidade de Jesus". De fato, somos parecidos com o Senhor não por aquilo que apenas dizemos, mas por aquilo que somos no dia a dia. Isso também é confissão.

Seus filhos, parentes, amigos e vizinhos saberão que você é cheio do Espírito Santo não porque fala em línguas estranhas, profetiza ou tem dons de curar. Esses são carismas que Deus nos dá, e ele os dá como quer. Não somos conhecidos pelos dons, mas pelos frutos que produzimos, pelo estilo de vida santo que vivemos. O que seus filhos dizem a seu respeito? O que o patrão pensa de seu trabalho? O que os funcionários da empresa dizem de sua postura? O que os colegas de faculdade falam de seu testemunho? O que os usuários de sua rede social pensam acerca de você? Bem ou mal? É assim que você é conhecido: pelo testemunho que dá. Não adianta apenas confessar com os lábios; é necessário falar pelo modo de viver. "Portanto, uma vez que estamos rodeados de tão grande multidão de testemunhas, livremo-nos de todo peso que nos torna vagarosos e do pecado que nos atrapalha, e corramos com perseverança a corrida que foi posta diante de nós" (Hb 12.1).

*É assim que você é conhecido: pelo testemunho que dá. Não adianta apenas confessar com os lábios; é necessário falar pelo modo de viver.*

Às vezes, eu me espanto com o fato de alguns "cristãos" possuírem perfis nas redes sociais cheios de palavrões, maledicências e chocarrices.

É assim que Jesus agiria? Não! Portanto, arrependa-se e mude de comportamento.

## Confesse que o Espírito Santo habita em você

Não deixe de pronunciar esta verdade maravilhosa: "Confesso que já fui glorificado espiritualmente com Cristo e que sou morada do Espírito Santo. Ele produz amor em mim e influencia positivamente meu relacionamento com Deus, com minha família, com meus irmãos, com os perdidos. Em casa, no trabalho, na escola, onde quer que eu esteja, ele manifesta em mim a alegria da salvação e me faz ser uma testemunha do reino dos céus. O Espírito Santo também me capacita a destruir as obras do diabo".

Dentre os dons espirituais, pode ser que o Espírito Santo lhe conceda a capacidade de falar em outras línguas. Se isso acontecer, dê tempo para que seu próprio espírito ore a Deus dessa forma. Lembre-se, no entanto, de que esse não é o único dom que Deus concede. É perfeitamente possível que você seja cheio do Espírito Santo e não fale em outras línguas. Ao tratar sobre a variedade de dons, o apóstolo Paulo instruiu a comunidade de Corinto da seguinte maneira:

> Agora, irmãos, quanto à sua pergunta sobre os dons espirituais, não quero que continuem confusos. Vocês

sabem que, quando ainda eram pagãos, foram conduzidos pelo caminho errado e levados a adorar ídolos mudos. Por isso, quero que compreendam que ninguém que fala pelo Espírito de Deus amaldiçoa Jesus, e ninguém pode dizer que Jesus é Senhor a não ser pelo Espírito Santo.

Existem tipos diferentes de dons espirituais, mas o mesmo Espírito é a fonte de todos eles. Existem tipos diferentes de serviço, mas o Senhor a quem servimos é o mesmo. Deus trabalha de maneiras diferentes, mas é o mesmo Deus que opera em todos nós.

A cada um de nós é concedida a manifestação do Espírito para o benefício de todos. A um o Espírito dá a capacidade de oferecer conselhos sábios, a outro o mesmo Espírito dá uma mensagem de conhecimento especial. A um o mesmo Espírito dá grande fé, a outro o único Espírito concede o dom de cura. A um ele dá o poder de realizar milagres, a outro, a capacidade de profetizar. A outro ele dá a capacidade de discernir se uma mensagem é do Espírito de Deus ou de outro espírito. A outro, ainda, dá a capacidade de falar em diferentes línguas, enquanto a um outro dá a capacidade de interpretar o que está sendo dito. Tudo isso é distribuído pelo mesmo e único Espírito, que concede o que deseja a cada um.

1Coríntios 12.1-11

Uma igreja sem o Espírito Santo é morta: não ama o perdido; não é capaz de cuidar do pobre, do órfão, do oprimido e do necessitado; é incapaz de ter casamentos estáveis; não consegue relacionar-se de forma justa com as pessoas. Uma igreja sem o Espírito Santo não consegue expressar amor nem ser verdadeiramente cristã.

*Uma igreja sem o Espírito Santo é morta: não ama o perdido; não é capaz de cuidar do pobre, do órfão, do oprimido e do necessitado; é incapaz de ter casamentos estáveis; não consegue relacionar-se de forma justa com as pessoas.*

Você já foi batizado com o Espírito Santo conforme dizem as Escrituras e tem experimentado os dons sobrenaturais que vêm da parte de Deus? Em caso negativo, separe um tempo diante do Senhor, todos os dias, para buscá-lo diligentemente. Diga-lhe: "Espírito Santo, batiza-me. Enche-me com teu poder. Ajuda-me a viver a tua vida, a anunciar as tuas verdades. Dá-me poder para ser testemunha". Ele o escutará.

Certa vez, reuni a equipe pastoral da igreja em que exerço liderança e, juntos, refletimos acerca do motivo de nossas células não estarem se multiplicando como deveriam. Logo pensamos que estava faltando alguma estratégia, um curso especial de evangelismo ou algo do tipo. Mas sabe o que realmente estava faltando? A unção do Espírito Santo em todos nós!

Só a unção nos torna sensíveis às necessidades dos perdidos e é capaz de quebrantar o coração humano. Só a plenitude do Espírito Santo é capaz de nos despertar para cuidar do necessitado e do oprimido. Só homens e mulheres cheios do Espírito Santo se preocupam com o destino de nossa nação em dias de tamanha inquietude. Quando vejo a indiferença da Igreja em relação à situação de nossa sociedade, penso: "Onde está a Igreja? Será que os crentes estão apenas pensando em fazer atividades sociais e em devotar-se a um trabalho meramente político e técnico? O que há de cristão na motivação do povo de Deus quando se mobiliza apenas para fazer alarde?".

Para vermos mudanças sociais consistentes, devemos, também, pôr os joelhos no chão e orar com fervor. Há quem diga: "Pastor, a situação mudará no dia em que o Brasil for presidido por um evangélico". Eu duvido disso! Pelo contrário, é capaz que piore. Muitos evangélicos, hoje em dia, não são padrão de moralidade e não estão realmente comprometidos com Deus. Houve época em que o foram, mas eram minoria. Hoje, muitos que se dizem cristãos estão misturados com a corrupção e são piores que os próprios corruptos. A confissão do Espírito Santo e das boas-novas de Cristo em sua vida é inexistente.

Há alguns anos, fui convidado para ir a uma reunião com vários políticos e governantes importantes. Eles me convidaram para que eu lhes desse uma palavra de edificação. Comecei assim: "Primeiramente, senhores, não vim aqui para pedir nada. Eu não preciso de nenhum de vocês. Vim até este lugar para oferecer-lhes algo: o meu ânimo de abençoar a minha nação por meio de uma igreja na qual haja justiça e amor, serviço e disponibilidade para abençoar o próximo que está aflito e precisando da graça de Deus". No final daquela reunião, um dos mais importantes governantes dentre os que estavam ali, um político honrado desta nação, me chamou e disse: "Carlos Alberto, nunca tínhamos ouvido isso de ninguém, porque nós, governantes, estamos acostumados a ser procurados pelas pessoas, e por muitos evangélicos e pastores, para ouvir pedidos de favores ou para vender favores. Por exemplo, para arranjar o pagamento do programa de televisão em troca do voto do rebanho, alguns pastores negociam o valor de acordo com a quantidade de fiéis que frequentam a congregação. Hoje em dia, temos sido procurados por verdadeiros mercenários, que são mais quadrilheiros do que pastores". Que vergonha eu senti! Que péssimo exemplo esses pastores mercenários estão dando! Eles não fugirão do juízo divino. Por fim, ele disse: "Seu discurso, de que não precisava de nada e que veio apenas para oferecer o amor e o serviço cristãos, soou como novidade para nós".

Os cristãos de Jerusalém não precisavam de favor nenhum. Eles tinham o Espírito Santo e, por isso, eram capazes de oferecer os benefícios que Deus produz na vida dos cristãos: um serviço cheio de amor, que promove justiça e verdade e é acompanhado de um testemunho de santidade e fidelidade a Deus. Esses, sim, são valores celestiais que nós, cristãos, precisamos praticar, senão nosso testemunho será uma vergonha.

*Os cristãos de Jerusalém não precisavam de favor nenhum. Eles tinham o Espírito Santo e, por isso, eram capazes de oferecer os benefícios que Deus produz na vida dos cristãos: um serviço cheio de amor, que promove justiça e verdade e é acompanhado de um testemunho de santidade e fidelidade a Deus.*

As pessoas que se convertem entre nós devem ter uma imagem muito positiva a nosso respeito, e quando nos conhecem mais de perto, devem confirmar essa impressão. Os cristãos são, de fato, servos de Cristo ou são lobos em pele de ovelha? O que acontece se um não cristão ou recém-convertido checar nosso cadastro no Serviço de Proteção ao Crédito e ver que estamos devendo até o último centavo, que não pagamos as contas em dia, que não temos palavra? Amado leitor, testemunho cristão é algo muito sério e exige verdadeiro comprometimento. Se eu fosse verificar sua vida ponto a ponto, haveria alguma mácula que mancharia seu testemunho? Se sua resposta for positiva, é tempo de acordar! Busque Deus com seriedade.

Eu disse à equipe pastoral que lidero: "Não adianta fazer reuniões com supervisores e líderes. Não precisamos de técnicas na supervisão ou de corre-corre para novos eventos e tentativas humanas para resolver problemas espirituais. Está na hora de expandirmos, mas isso só se faz no poder do Espírito Santo. Como? Confessando com os lábios e a atitude as boas-novas de Cristo, com poder e autoridade!".

## Para reflexão individual ou em grupo

Existe alguma diferença entre simplesmente confessar com lábios as boas-novas de Cristo e fazer isso com poder e autoridade do Espírito Santo? Qual?

De que maneira um cristão pode contar com o poder e a autoridade do Espírito Santo em sua confissão das boas-novas de Cristo?

O que significa unção do Espírito Santo e que diferença ela faz na vida do cristão?

## Versículos transformadores para memorizar e praticar

Apesar disso, foram as nossas enfermidades que ele tomou sobre si, e foram as nossas doenças que pesaram sobre ele. Pensamos que seu sofrimento era castigo de Deus, castigo por sua culpa. Mas ele foi ferido por causa de nossa rebeldia e esmagado por causa de nossos pecados. Sofreu o castigo para que fôssemos restaurados e recebeu açoites para que fôssemos curados.

Isaías 53.4-5

Eu lhes dei autoridade para pisarem sobre cobras e escorpiões, e sobre todo o poder do inimigo. Nada lhes causará dano.

Lucas 10.19

Eu dei a eles a glória que tu me deste, para que sejam um, como nós somos um.

João 17.22

*Outros:* Isaías 46.10; Mateus 9.6-8; 28.18-20.

# 5

# Confissão da prosperidade em Cristo

> Pois o reino de Deus não diz respeito ao que comemos ou bebemos, mas a uma vida de justiça, paz e alegria no Espírito Santo. Se servirem a Cristo com essa atitude, agradarão a Deus e também receberão a aprovação das pessoas.
>
> Romanos 14.17-18

Conhecemos muito bem o salmo 23. Lamentavelmente, na maioria das vezes o praticamos bem pouco. Somos capazes de recitar cada palavra dessa preciosa porção das Escrituras, mas não refletimos sobre as verdades que ela elucida. Dizemos de forma automática: "O Senhor é meu pastor, e nada me faltará" (v. 1), mas não descansamos na verdade que a Palavra declara. Dedique um tempo para demorar-se na leitura deste belíssimo poema escrito pelo rei Davi, o homem segundo o coração de Deus.

O Senhor é meu pastor, e nada me faltará.
Ele me faz repousar em verdes pastos
e me leva para junto de riachos tranquilos.
Renova minhas forças e me guia pelos caminhos da justiça;
assim, ele honra o seu nome.
Mesmo quando eu andar pelo escuro vale da morte,
não terei medo, pois tu estás ao meu lado.
Tua vara e teu cajado me protegem.
Preparas um banquete para mim na presença de meus inimigos.
Unges minha cabeça com óleo; meu cálice transborda.
Certamente a bondade e o amor me seguirão todos os dias de minha vida,
e viverei na casa do Senhor para sempre.

Salmos 23.1-6

As palavras que você acabou de ler são fruto da consciência de Davi em relação ao Pai amoroso que ele honrava e servia. Ele cria nessa realidade e a confessava. Quando o rei confessa que Deus é seu pastor, afirma que o Altíssimo é aquele que cuida de sua vida, que o Criador é a autoridade sobre o rebanho do qual fazia parte. Por isso, poderia descansar tranquilo. Davi sabia que não lhe faltaria provisão para sua subsistência, consolo em tempos difíceis ou direção ao longo da jornada. Ele sabia quem era seu pastor: o Senhor!

Muitos confundem o salmo 23 com uma promessa descabida de riquezas e ostentação, pensando que desfrutarão farturas e delícias no dia a dia. Não é isso o que a Palavra promete. Por meio das Escrituras sabemos que o básico para a alimentação e a roupa nos será proporcionado, mas ela nada fala de excessos e regalias (Mt 6.25-34). Muitos pensam que "nada me faltará" significa dinheiro em grandes quantias, imóveis caros e todo tipo de luxo. Estão enganados! Esqueça esses conceitos, pois são mundanos e não possuem fundamento bíblico. O verdadeiro rico é aquele que não tem de tudo, mas tem paz, descanso e segurança em Deus. É o que confessa sua prosperidade em Cristo.

O Senhor, nosso pastor, não nos deixará faltar coisa alguma. Em vez de riquezas, ele nos dará aquilo de que realmente necessitamos: pão, água, luz e ar. Ele cuidará zelosamente de cada um de nós. "Fui jovem e agora sou velho, mas nunca vi o justo ser abandonado, nem seus filhos mendigarem pão" (Sl 37.25). Cada vez que eu não tiver o que imaginava que teria, Deus me ensinará como posso viver sem aquela provisão, porque, para Deus, o importante não é o que tenho, mas o que sou. Muitas vezes ele não me dá tudo o que peço, para me ensinar lições. Talvez eu precise aprender a ser mais econômico, mais fiel nas pequenas coisas, mais atento à minha vida e às minhas prioridades. O importante é que, na escassez ou na fartura, eu confesse minha prosperidade em Cristo, assim como fez Paulo: "Sei viver na necessidade e também na fartura. Aprendi o segredo de viver em qualquer situação, de estômago cheio ou vazio, com pouco ou muito. Posso todas as coisas por meio de Cristo, que me dá forças" (Fp 4.12-13).

*O Senhor, nosso pastor, não nos deixará faltar coisa alguma. Em vez de riquezas, ele nos dará aquilo de que realmente necessitamos: pão, água, luz e ar. Ele cuidará zelosamente de cada um de nós.*

Em que os verdes pastos mencionados por Davi no salmo 23 fazem você pensar? Em iates à beira de *resorts*? Não se engane, a promessa não é essa. Os verdes pastos refletem o cuidado de Deus com nossas emoções e nossos sentimentos. O Pai se preocupa com cada aspecto de nossa vida, pois conhece as carências e debilidades que nos afetam. Ainda que andemos por um vale sombrio, o Senhor estará conosco para nos alentar com seu amor gracioso. Podemos descansar em seu zelo. Ele é nosso companheiro e não permitirá que entremos sozinhos na tribulação. "Deus é nosso refúgio e nossa força, sempre pronto a nos socorrer em tempos de aflição" (Sl 46.1). Quando José foi vítima de uma cilada e acabou preso injustamente, permaneceu firme, seguro e confiante de que Deus haveria de cuidar dele. E o Senhor não o decepcionou. Assim como foi com José, Deus não o decepcionará, pois ele não abandona seus servos fiéis.

Todos teremos de passar por vales sombrios durante a jornada, uns de uma maneira, outros de outra. O vale pode ser uma enfermidade incurável, um problema conjugal ou familiar, o desemprego ou a crise econômica; seja o que for, as necessidades básicas da vida estão garantidas para nós. Não estamos desamparados: o Criador do universo está ao nosso lado para nos fortalecer e animar. Confesse essa verdade! Você é rico, acima de tudo, porque tem Cristo em sua vida. Ele nos preparará uma mesa, uma provisão, na presença de nossos adversários. O Senhor nos ungirá com óleo — símbolo do Espírito Santo — e nos fará transbordar de alegria. É justamente nessas horas que ele nos inunda com manifestações sobrenaturais e com aquela doce paz e segurança de que nada escapou do controle dele. A bondade e a misericórdia do Senhor nos acompanharão a cada dia.

## Confesse que tudo pertence ao Senhor

Ao dirigir-se ao povo de Israel, assim falou Deus por intermédio do profeta Ageu: "A prata e o ouro me pertencem, diz o SENHOR dos Exércitos. A glória deste novo templo será maior que a glória do antigo, diz o SENHOR dos Exércitos, e neste lugar estabelecerei a paz. Eu, o SENHOR dos Exércitos, falei!" (Ag 2.8-9). Observe a ênfase ao reafirmar que quem falou foi o Senhor dos Exércitos. Ageu proclamou confiantemente tudo aquilo que tinha ouvido de Deus; em outras palavras, ele confessou a Palavra. É como se ele dissesse: "Saibam vocês que essas verdades foram ditas pelo Senhor dos Exércitos. Foi ele quem as proferiu. E, se ele falou, ele cumprirá". A Bíblia diz que a Palavra do Senhor permanece para sempre: "É mais fácil o céu e a terra desaparecerem que ser anulado até o menor traço da lei de Deus" (Lc 16.17).

Do Senhor são o ouro e a prata. Ele é o dono de toda riqueza que há na terra, sejam os minerais escondidos nas rochas, o tesouro nacional ou, até mesmo, o seu emprego. Nosso sustento vem de Deus. É por isso, aliás, que ele tem de ser o Senhor de suas finanças. Como permitimos que isso aconteça? Seguindo os conselhos da Bíblia em relação ao assunto.

Quantas vezes usamos o dinheiro de forma precipitada e leviana? Será que aquela compra da televisão em cinquenta prestações foi a melhor aquisição que você fez? Será que Deus se agradou do longo financiamento para comprar um carro luxuoso de que você não precisava? E se surgir uma dificuldade no meio do caminho, o que você vai fazer? Buscará um agiota que empresta a peso de ouro? Procurará bancos e instituições financeiras para tentar resolver o problema? Quantas dores de cabeça evitaríamos se pensássemos melhor antes de agir por impulso. Veja que interessante a advertência dada em certa ocasião pelo Senhor Jesus: "Quem começa a construir uma torre sem antes calcular o custo e ver se possui dinheiro suficiente para terminá-la? Pois, se completar apenas os alicerces e ficar sem dinheiro, todos rirão dele, dizendo: 'Esse aí começou a construir, mas não conseguiu terminar!'" (Lc 14.28-30).

> *Nosso sustento vem de Deus. É por isso, aliás, que ele tem de ser o Senhor de suas finanças. Como permitimos que isso aconteça? Seguindo os conselhos da Bíblia em relação ao assunto.*

Cuidado para não ser desleixado com aquilo que Deus lhe deu. Não podemos ser imprudentes em relação às finanças. Pelo contrário, devemos ser zelosos e levar tudo na ponta do lápis. Se fizer isso, evitará o estresse causado pelo excesso de contas e do orçamento apertado, especialmente se for casado. Você sabia que uma das principais causas de separação conjugal são justamente os problemas financeiros? Por isso, cuide de suas finanças com responsabilidade, pois o descuido nesse aspecto poderá trazer problemas para a saúde de sua família. Se a situação de suas finanças não vai bem, avalie o cenário. Havendo a possibilidade, arranje outro emprego, que lhe dê melhores oportunidades e rendimentos. Não faça dívidas desnecessárias e feche todas as torneiras pelas quais o dinheiro possa estar escoando. Muitos homens fracassam porque têm uma mulher tola. Ela lhe diz:

— Eu queria aquele vestido.

— Mas eu estou desempregado, amor — responde o marido.

— Mas eu gosto tanto daquele vestido... Faça um crédito ou um carnê em suaves prestações — retruca a mulher.

— Mas eu não tenho recurso para uma dívida a mais em nosso orçamento — defende-se ele, acuado.

— Ah... mas, se você me amasse, daria um jeito — insiste a esposa.

Muitos maridos estão em dívidas por causa do consumismo da companheira. A esposa que se comporta assim é insensata, segundo a Bíblia: "A mulher sábia edifica o lar, mas a insensata o destrói com as próprias mãos" (Pv 14.1). Mulheres, ajudem seu marido a administrar cuidadosamente os bens que Deus lhes concedeu. O Senhor encarregou o homem de prover para o lar e para a família, e você deve ajudá-lo a conservar essa provisão. Seu esposo precisa que você exerça bem o seu papel, que é tão singular e importante.

Em certas situações, o insensato é o marido. Nesse caso, é igualmente necessário a esposa saber colocar-lhe um freio. A mulher sábia fortalece, coopera e ajuda o esposo a evitar problemas. Ela tem um *feeling*, uma percepção emocional que não dá para explicar, mas que é real! Portanto, marido, quando sua mulher lhe disser: "Cuidado!", preste atenção. Ouça-a, chame-a para conversar e ore com ela. Tomem decisões como casal e evite problemas. Dessa forma, desfrutarão paz e vitalidade no dia a dia conjugal. Uma atitude de respeito aos bens que Deus lhes deu é uma confissão pública de seu respeito por ele.

*Uma atitude de respeito aos bens que Deus lhes deu é uma confissão pública de seu respeito por ele.*

Deus tem interesse em nos abençoar, pois a prosperidade dos santos é uma confissão de seu cuidado por eles, o que o glorifica. Se você é fiel nos recursos de Deus e utiliza com fidelidade, amor e justiça as bênçãos que ele lhe dá, receberá a colheita de sua semeadura de forma abundante. Lembre-se de que prosperidade bíblica tem a ver com obediência, zelo e prudência em relação às finanças, e não com luxo e ostentação.

Nosso Pai é o dono de tudo o que existe, por isso podemos descansar na segurança de que não padeceremos se lhe obedecermos. Lembra-se do que o pai disse ao irmão do filho perdido? "Meu filho, você está sempre comigo, e tudo que eu tenho é seu. Mas tínhamos de comemorar este dia feliz, pois seu irmão estava morto e voltou à vida. Estava perdido e foi achado!" (Lc 15.31) A lição aqui é que tudo o que Deus tem pertence a nós, seus filhos. Tudo o que Deus tem pertence a você! Isso não é maravilhoso? Agora, observe o que Jesus disse a seus discípulos: "'Quando eu os enviei para anunciar as boas-novas sem dinheiro, sem bolsa de viagem e sem sandálias extras, alguma coisa lhes faltou?' 'Não', responderam eles" (Lc 22.35). De fato, quando andamos com Jesus podemos saber que, por mais aperto que passemos, não nos faltará o necessário para sobreviver. Como ele mesmo nos disse:

> Peçam, e receberão. Procurem, e encontrarão. Batam, e a porta lhes será aberta. Pois todos que pedem, recebem. Todos que procuram, encontram. E, para todos que batem, a porta é aberta. [...] Se seu filho lhe pedir pão, você lhe dará uma pedra? Ou, se pedir um peixe, você lhe dará uma cobra? Portanto, se vocês, que são maus, sabem dar bons presentes a seus filhos, quanto mais seu Pai, que está no céu, dará bons presentes aos que lhe pedirem!
>
> Mateus 7.7-11

Deus faz questão de lhe dar a provisão necessária para cada uma de suas necessidades. Se o suprimento não está chegando a você, é hora de avaliar o que está acontecendo. Talvez esteja sendo negligente em alguma área. Será que está cuidando bem de suas finanças? Será que está dando a devida atenção à família? Tem trabalhado com zelo? Descansa o suficiente para repor as energias de que precisa para estar mais alerta e atento às atividades do dia a dia? Faça essas perguntas a si mesmo. Nunca diga: "Deus é injusto comigo". O Senhor nunca deixará de cumprir a parte dele. Confesse isso.

*Nunca diga: "Deus é injusto comigo". O Senhor nunca deixará de cumprir a parte dele. Confesse isso.*

Neste ponto, quando reconhecemos que tudo pertence ao Senhor, torna-se necessário falar sobre dízimos e ofertas. Em nossos dias, esse tornou-se um tema polêmico. Todavia, entregar o dízimo e ofertar é princípio bíblico; e, se é princípio bíblico, não podemos negligenciá-lo. Veja o que Deus disse por intermédio do profeta Malaquias:

> "Acaso alguém pode roubar a Deus? Mas vocês têm me roubado!
>
> "Perguntam: 'Em que te roubamos?'.
>
> "Vocês me roubaram nos dízimos e nas ofertas. Estão sob maldição, pois a nação inteira tem me roubado. Tragam todos os seus dízimos aos depósitos do templo, para que haja provisão em minha casa. Se o fizerem", diz o SENHOR dos Exércitos, "abrirei as janelas do céu para vocês. Derramarei tantas bênçãos que não haverá espaço para guardá-las! Sim, ponham-me à prova!"
>
> Malaquias 3.8-10

Entregar dízimos e ofertas para a manutenção e o crescimento da obra de Deus é uma confissão de que cremos que nossa prosperidade está em Deus, e não nos bens materiais. No entanto, com que grande facilidade deixamos de contribuir na casa do Senhor para gastar o dinheiro em outras coisas! Somos capazes de pagar uma fortuna na prestação do aparelho novo de televisão, mas reclamamos profundamente para dar uma pequena quantia a fim de manter a casa do Senhor. Assim, roubamos de Deus e desviamos os recursos que deveriam ser usados em favor do reino. Uma pena, porque, quanto mais você investir na obra, mais satisfação terá. "Há bênção maior em dar que em receber" (At 20.35).

## Princípios para a multiplicação

Se você deseja multiplicar seus recursos financeiros, precisa saber que existem princípios a ser seguidos, com fé e responsabilidade. O Evangelho de João relata um episódio da vida de Jesus que nos mostra o caminho correto para se multiplicar bens.

> Depois disso, Jesus atravessou o mar da Galileia, conhecido também como mar de Tiberíades. Uma grande multidão o seguia por toda parte, pois tinham visto os sinais que ele havia realizado ao curar os enfermos. Então Jesus subiu a um monte e sentou-se com seus discípulos. Era quase tempo da festa judaica da Páscoa. Jesus logo viu uma grande multidão que vinha a seu encontro. Voltando-se para Filipe, perguntou: "Onde podemos comprar pão para alimentar toda essa gente?". Disse isso para pôr Filipe à prova, pois já sabia o que ia fazer.

Filipe respondeu: "Mesmo que trabalhássemos vários meses, não teríamos dinheiro suficiente para dar alimento a todos!".

Então um de seus discípulos, André, irmão de Simão Pedro, falou: "Aqui está um rapaz com cinco pães de cevada e dois peixes. Mas que adianta isso para tanta gente?".

Jesus respondeu: "Digam ao povo que se sente". Todos se sentaram na grama que cobria o monte. Só os homens eram cerca de cinco mil. Então Jesus tomou os pães, agradeceu a Deus e os repartiu entre o povo. Em seguida, fez o mesmo com os peixes. E todos comeram à vontade. Depois que todos estavam satisfeitos, Jesus disse a seus discípulos: "Agora juntem os pedaços que sobraram, para que nada se desperdice". Eles juntaram o que restou e encheram doze cestos com as sobras.

Quando o povo viu Jesus fazer esse sinal, exclamou: "Sem dúvida ele é o profeta que haveria de vir ao mundo!". Jesus sabia que pretendiam obrigá-lo a ser rei deles, de modo que se retirou, sozinho, para o monte.

João 6.1-15

É evidente que essa multiplicação foi milagrosa, e não podemos pensar que Deus fará todos os dias em nossa vida o que fez naquele momento. No entanto, podemos extrair desse relato quatro princípios para a nossa vida financeira.

*Organize-se*

Antes de realizar o milagre, Jesus deu uma ordem aos discípulos: "Digam ao povo que se sente". O primeiro fundamento para ter uma vida próspera em todas as áreas é justamente a *ordem*. Em outras palavras, *organize-se*. Estabeleça o que é prioridade e o que não é. Faça uma limpeza geral em tudo o que sentir que esteja sujo, bagunçado e fora do lugar. Faça anotações, crie estratégias claras e uma rotina saudável. Não somos abençoados com varinha de condão nem com passe de mágica. Não é a "oração da sorte" que colocará ordem em sua vida, mas suor e força de vontade.

*Não somos abençoados com varinha de condão nem com passe de mágica. Não é a "oração da sorte" que colocará ordem em sua vida, mas suor e força de vontade.*

O que é mais importante para você? O vestido novo? O jogo de futebol? O carro novo? A televisão nova? O sapato novo? Ou ser mais responsável e dar a devida atenção a cada prioridade? Precisamos deixar de assistir ao jogo de futebol? Claro que não. Mas, obviamente, esse não é o item que deverá estar no topo de sua lista. Ao ver aquele povo faminto e disperso, Jesus fez que se sentassem em grupos. Ele colocou ordem ao caos. É isso que você também deve fazer.

*Deposite sua confiança em Deus*

O rapaz colocou os cinco pães e os dois peixes nas mãos de Jesus, o melhor lugar em que poderia depositar aquela pequena provisão. Assim como ele, deposite sua confiança em Deus. Consagre seus bens ao Senhor, coloque-os nas mãos certas. Essa é a melhor decisão que pode tomar.

Quando receber o pagamento no fim do mês, separe tempo para dizer: "Senhor, eu consagro a ti parte deste recurso. Dá-me sabedoria para administrar o dinheiro que me deste". Duvido que Deus o decepcionará.

*Administre as sobras com sabedoria*

Os comentaristas dizem que na ocasião da multiplicação miraculosa dos cinco pães e dois peixes havia ali cinco mil homens, sem contar mulheres e crianças. Talvez umas quinze mil pessoas, no total. Aqueles cinco pães e dois peixinhos alimentaram toda a multidão. E o que aconteceu? *Sobrou!* No final do mês, tem de sobrar. Se não sobrar nada, é porque há algo fora de lugar. Reveja seus gastos e suas prioridades. Viver no vermelho não é uma opção saudável. Se sobrar, peça sabedoria a Deus para lidar com tal recurso.

### *Seja agradecido*

Além de colocar suas provisões nas mãos certas, aprenda a ser agradecido pelo que você tem. O agradecimento, aliás, pode vir em forma de generosidade e doação àqueles que estão em dificuldades.

Este mês entrou mais do que você imaginou? Reparta. Seja voluntário. Reconheça e confesse que tudo é do Senhor. Quando minha esposa e eu temos uma sobra no mês, perguntamos ao Senhor: com quem devemos reparti-la? E, dessa forma, o Senhor tem nos dado o privilégio de ajudar muita gente.

Além desses princípios, o episódio da multiplicação dos pães e dos peixes também nos oferece quatro lições em relação às ofertas:

*A oferta foi sacrificial.* Aquele garoto entregou tudo que tinha. Não estou dizendo para você doar sua casa e ficar na miséria. Não exagere. O que pretendo deixar claro é o princípio. Nossa oferta não deve se basear na quantia, mas na motivação. Não devemos dar o que não tem valor para o Senhor.

*A oferta foi generosa.* O menino pensou mais nos outros do que em si mesmo. Ele poderia alegar: "Mas sem peixe eu não terei almoço hoje. Sem pães, minha família e eu não teremos o que comer". Todavia, ele não pensou apenas em seu próprio umbigo.

*A oferta foi uma expressão de fé.* O garoto não sabia o que aconteceria nem como o milagre sucederia. Ele apenas creu que, se oferecesse o que tinha, algo seria feito.

*A oferta foi o canal para um milagre e acabou eternizada.* Muita gente foi abençoada por causa do ato generoso daquele menino. A oferta foi eternizada, pois entrou para o registro das Escrituras. Note que mais de dois mil anos depois você está lendo a respeito da atitude de um menino que entregou cinco pães e dois peixinhos, tudo o que ele tinha, para servir às pessoas. É distribuindo, doando e servindo que você desfrutará alegria, satisfação e abundância em sua vida. A oferta sempre voltará multiplicada. É a atitude daquele menino que você tem de imitar.

## Para reflexão individual ou em grupo

Explique por que a teologia da prosperidade é uma distorção da sã doutrina bíblica.

O que significa exatamente dizer que, uma vez que o Senhor é o nosso pastor, "nada nos faltará"?

Que desdobramentos práticos existem no ato de confessar que tudo pertence ao Senhor?

## Versículos transformadores para memorizar e praticar

Sacudirei todas as nações, e os tesouros das nações virão para este templo. Encherei este lugar de glória, diz o SENHOR dos Exércitos. A prata e o ouro me pertencem, diz o SENHOR dos Exércitos. A glória deste novo templo será maior que a glória do antigo, diz o SENHOR dos Exércitos, e neste lugar estabelecerei a paz. Eu, o SENHOR dos Exércitos, falei!

Ageu 2.7-9

Deem e receberão. Sua dádiva lhes retornará em boa medida, compactada, sacudida para caber mais, transbordante e derramada sobre vocês. O padrão de medida que adotarem será usado para medi-los.

Lucas 6.38

Quando finalmente caiu em si, disse: "Até os empregados de meu pai têm comida de sobra, e eu estou aqui, morrendo de fome". [...] O pai lhe respondeu: "Meu filho, você está sempre comigo, e tudo que eu tenho é seu".

Lucas 15.17,31

*Outros:* Salmos 112; 127.2; Malaquias 3.10; Lucas 22.35.

# 6

# Confissão do chamado cristão

Porei minhas leis em sua mente e as escreverei em seu coração. Serei o seu Deus, e eles serão o meu povo.

JEREMIAS 31.33

Muitos cristãos, por não se aprofundarem no conhecimento da Palavra, não sabem quem são nem para onde vão. Outros, que já possuem bastante tempo de igreja, acostumam-se à prática religiosa e pensam que a vida cristã está relacionada apenas ao ministério que exercem. Pensam: "Serei líder de células", "Entrarei para o coral", "Serei o braço direito do pastor" e coisas assim. Exercer o ministério, sem dúvida, é um grande objetivo, mas não é tudo.

Paulo dizia: "Se alguém deseja ser bispo, deseja uma tarefa honrosa" (1Tm 3.1). Essa nobre função, no entanto, não é exercer liderança irresponsável e fomentar o estabelecimento de

pequenas panelinhas na igreja, o que infelizmente vemos com frequência por aí. A nobre função de trabalhar na igreja tem a ver com levar pessoas a cumprir a grande tarefa que Jesus lhes designou: "Vão ao mundo inteiro e anunciem as boas-novas a todos" (Mc 16.15).

Muito em razão das benesses proporcionadas pela Internet e por aplicativos multifuncionais, vivemos dias de alta distração. É perceptível o nível raso de conhecimento que afeta adultos e jovens, que já não dedicam tempo suficiente para aprofundar-se nos temas de suas áreas de interesse, o que inclui a fé. Assim, a espiritualidade e a intimidade com o Pai é prejudicada. Precisamos de tempo de qualidade com o Senhor. Muitos pensam que cristianismo é ir aos domingos à igreja, cantar, bater palma, ouvir um sermão emocionante, voltar para casa e viver a semana toda do jeito que bem entender. Não à toa aqueles que pensam assim tendem ao esfriamento da fé ou a uma vida cristã pautada pela instabilidade. A grande questão é: temos consciência de qual é nosso verdadeiro chamado em Cristo? Entendemos para que o Senhor nos chamou? Em caso negativo, não teremos como confessá-lo e, tampouco, como vivê-lo.

Entendi bem a seriedade do chamado cristão quando me converti, aos 19 anos. Eu vivia em Curitiba, era o único filho homem de meu pai, um empresário, e tinha a responsabilidade de cuidar do patrimônio que ele havia construído com suor e trabalho duro. Na época, eu cursava o segundo ano clássico, o atual ensino médio. Parei aquele ciclo de estudos e fui para São Paulo, a fim de ingressar em um seminário teológico. Na ocasião, havia decidido ser pastor de ovelhas.

*A grande questão é: temos consciência de qual é nosso verdadeiro chamado em Cristo? Entendemos para que o Senhor nos chamou? Em caso negativo, não teremos como confessá-lo e, tampouco, como vivê-lo.*

Isso gerou uma crise enorme com meu pai. Ele me dizia: "Não é possível. Construí todo esse patrimônio para você, meu herdeiro. Você será o administrador dos bens que eu tenho. Que história é essa de ir para um seminário e se tornar pastor de crentes?". Ele tinha pavor de crentes, porque eram os funcionários que mais davam trabalho na empresa dele: não eram cumpridores de suas tarefas, portavam-se com irresponsabilidade, chegavam atrasados, davam péssimo testemunho de vida. Um pastor, cliente de meu pai, era mau pagador. E, adivinhe, foi justamente o pastor que me levou a Cristo! Consegue imaginar a encrenca que arranjei? Meu pai dizia: "Esse sujeito dá mau exemplo. Ele não paga as contas. Você vai andar perto de um homem como esse?".

Preste muita atenção a esta verdade: as pessoas estão vendo seu testemunho. É por isso que, quando decidi ser pastor do rebanho de Deus, decidi ser um homem íntegro, alguém de quem as pessoas nada teriam a dizer. Não estou falando de perfeição, porque não sou perfeito. Mas, quanto a ser falso, hipócrita, sem vergonha ou ladrão, jamais abriria brecha para esses comportamentos. Seria um bom exemplo de caráter, conduta moral e ética. E, ao fazê-lo, confessaria publicamente meu chamado cristão.

Quando me decidi por Cristo, identifiquei o sublime projeto que Deus tinha para a minha vida. Fiz o seminário em São Paulo, numa extensão da igreja em que eu havia me convertido. Assim que terminei o período de estudos, fui ordenado e consagrado pastor de uma pequena congregação no bairro de Vila Formosa, na zona leste da capital paulistana. A princípio, pastoreei um grupo de vinte pessoas. Ofereceram-me aquela pequena congregação e me perguntaram: "O senhor assume essa responsabilidade?". Eu respondi com propriedade: "Sim, assumo". Naquela ocasião, ainda era um moço na casa dos vinte e poucos anos, estudante de Direito e Filosofia numa faculdade em Mogi das Cruzes, à distância de uma hora da igreja que pastoreava.

Além disso, era esposo, pai e publicitário. Morava em São Vicente, no litoral, e trabalhava na Avenida Paulista, região central de São Paulo. Não foi fácil, mas permaneci de pé. Não negociei meus valores. Arregacei as mangas, aproveitei as oportunidades, caminhei com Deus e hoje posso dizer que até aqui o Senhor me ajudou. Por isso, jovem, não vá na onda daqueles que ensinam que juventude é época para ser inconsequente. Claro que não é! Juventude é época de semeadura, tempo para plantar boas atitudes que resultarão em uma colheita maravilhosa amanhã. João escreveu: "Escrevi a vocês, jovens, porque são fortes. A palavra de Deus permanece em seu coração, e vocês venceram o maligno" (1Jo 2.14).

## Grande Comissão

Qual é seu destino? Qual é seu projeto de vida depois que você nasceu de novo? Para onde você vai? "O meu alvo é ser dirigente de células", você talvez responda. Está certo, mas isso é apenas uma etapa. A outra etapa é multiplicar.

Você foi criado para ser discípulo e para ser um fazedor de discípulos para Jesus. O que está pensando em fazer daqui a cinco anos? Onde o encontrarei? Desempenhando quais atividades? Desenvolvendo um bom projeto como engenheiro? Como professor? Como industriário?

Seja o que for, daqui a alguns anos você pode estar realizando bem sua atividade profissional e, ao mesmo tempo, trabalhando no grande projeto de Deus para sua vida: pregar o evangelho a toda criatura. Isso significa que largará tudo para fazer missões nos confins da terra? Pode ser, mas nem sempre é assim. Talvez haja pessoas famintas pelas boas-novas de Cristo em meio aos colegas de escritório ou clientes de sua empresa. Você ousaria comunicar a elas o amor de Deus? Nós fomos alcançados pela graça de Deus para sermos discípulos de Jesus, e aos discípulos dele foi deixada uma missão: "Vão ao mundo inteiro e anunciem as boas-novas a todos".

*Seja o que for, daqui a alguns anos você pode estar realizando bem sua atividade profissional e, ao mesmo tempo, trabalhando no grande projeto de Deus para sua vida: pregar o evangelho a toda criatura.*

Se colocamos a mão no arado, podemos ficar seguros de que Deus nos dará forças para executar nossa função. Quando vim estudar em São Paulo, por exemplo, tive de arranjar dois empregos: um com um securitário e outro com um publicitário. Trabalhei bastante, e o esforço não me fez mal nenhum. Cuidei de meus filhos, sustentei meu lar, vivi honestamente e fui dizimista fiel. Nunca dei um cheque sem fundo e não devo nada a ninguém, a não ser o amor fraternal. Até hoje busco viver a vida cristã de forma cristalina. Não vivo dependurado em juros, nem em dinheiro emprestado; pelo contrário, eu é que empresto. Não tenho muito, mas empresto. Precisamos viver de acordo com aquilo que professamos, para que consigamos, assim, anunciar eficientemente as boas-novas, pois as pessoas verão Cristo refletido em nossa vida. Isso também é confessar nosso chamado cristão.

Qual é seu futuro? Você está seguindo em que direção? Infelizmente, as respostas que ouvimos por aí não são muito animadoras. Há rapazes que acreditam que foram chamados para ser sambistas e moças que acreditam que devem participar de *reality shows* indecentes. Pior são os pais e as mães que estimulam sonhos egoístas nos filhos. Que situação triste!

Filho querido, você foi criado em Jesus para algo muito mais sublime do que apenas exercer uma profissão e ganhar dinheiro. Sua profissão é importante, pois é um instrumento que Deus lhe dá para sustentar sua casa. Mas esse não é o propósito final da vida. Seu trabalho é uma ferramenta que Deus lhe oferece para que ponha em prática a capacidade e a habilidade de construir o projeto que ele tem para você. A Grande Comissão de Deus para você, o seu chamado, pode ser desenvolvido em meio à sua rotina, seja em casa, seja no escritório, seja na sala de aula. Essa é a vocação cristã. Esse é o chamado.

Não há por que deixar o espiritual apenas para o domingo de manhã e, durante a semana, viver de qualquer jeito. Essa ideia é carnal e nada tem a ver com o reino de Deus. Nossas reuniões devem ser reuniões de discípulos, de homens e mulheres que amam Jesus apaixonadamente, que querem cumprir na vida diária o ministério para o qual o Senhor os chamou a realizar, proclamar e confessar. Porque cristianismo descompromissado, de banco de igreja, é bonito, mas não é cristianismo. Qualquer um pode fazer isso.

Devemos amar como Jesus ama, ser santos como Jesus é santo, apaixonar-nos pelos perdidos como Jesus é apaixonado, e fazer discípulos como Jesus é fazedor de discípulos. Temos de ser aqueles que invadem este mundo de violência e horror crendo que Deus é fiel para nos guardar, fortalecer e abençoar enquanto realizamos o serviço para o qual ele nos chamou. E isso não é tarefa apenas para quem vai ao campo missionário ou exerce ministério na igreja.

## Visão e propósito

Fiquei preocupado quando perguntei a um jovem recém-casado e desafiado para o ministério: "Filho querido, conte-me qual é o projeto que tem para os próximos anos de sua vida". Ele me respondeu: "Vou me mudar para o exterior. Quero fazer um curso de inglês para aperfeiçoar o idioma, a fim de que eu possa ser mais valorizado na empresa em que trabalho. Minha esposa também viajará comigo, porque ela já é formada e quer se aperfeiçoar. Queremos melhorias em nossa vida profissional". O objetivo dos dois era excelente, obviamente. Devemos buscar crescimento contínuo em todas as áreas. A Bíblia diz: "Você já viu alguém muito competente no que faz? Ele servirá reis em vez de trabalhar para gente comum" (Pv 22.29). Se você é um profissional, empenhe-se para ser excelente em tudo o que faz. O problema daquele jovem rapaz, no entanto, residia no fato de que ele tinha um chamado ministerial e foi preparado a vida inteira para isso, mas deixou sua vocação se apagar. O moço era desafiado para o ministério e casou-se com uma mulher cuja prioridade era ser empresária. Ela o influenciou a ponto de fazê-lo desistir de seu chamado. Portanto, jovem, case-se com alguém que compartilha de seus sonhos e que ande em sintonia fina com Deus.

Certa vez, preguei em um encontro de casais e perguntei aos homens e às mulheres que ali estavam: "O casamento de vocês passa pelo preparo para a vida ministerial ou só para a vida conjugal?". Existem cursos de noivos e ministérios de casais por aí que erram na preparação do conteúdo a ser compartilhado com os alunos e participantes, pois focam apenas um aspecto da vida a dois. Fala-se em como fazer sexo significativo e em listas do que se deve ou não fazer. Deve-se falar em sexo, sim, mas também de chamado ministerial, discipulado, testemunho cristão e autenticidade. Deve-se preparar os casais para o dia mau, para as intempéries do cotidiano e para permanecerem firmes na fé em tempos de tribulação. Nem tudo são flores, e é preciso saber disso. Devemos compreender e confessar essa realidade, pois ela faz parte de nosso chamado cristão.

Não estamos protegidos de fatalidades e tragédias. Não é porque você é cristão que estará livre dessas realidades tristes. A boa notícia é que Cristo faz toda a diferença no coração daquele que crê. O justo tem o Senhor para ajudá-lo e consolá-lo, mas o ímpio, o que tem? "Ainda que o justo tropece sete vezes, voltará a se levantar, mas uma só calamidade é suficiente para derrubar o perverso" (Pv 24.16). Deus permite certas situações em nossa vida para nos manifestar sua glória. Costumo dizer o seguinte: "Perca tudo o que você tem, saúde, família, filhos, esposa, profissão, trabalho, sim, perca tudo. Só não perca Jesus; porque, quando você tem Jesus Cristo no coração, você tem tudo". Entender isso é entender o chamado cristão.

*Nem tudo são flores, e é preciso saber disso. Devemos compreender e confessar essa realidade, pois ela faz parte de nosso chamado cristão.*

Dedique um tempo para ler a história de Jó. Deus deu o seguinte testemunho acerca dele: "Você reparou em meu servo Jó? Não há ninguém na terra como ele. É homem íntegro e correto, teme a Deus e se mantém afastado do mal" (Jó 1.8). Jó era uma pessoa exemplar, se levantava de madrugada para orar pelos filhos e pedia proteção a cada um deles, mas Deus permitiu que Satanás tocasse em sua família, sua saúde e seus bens. Saiba que, se o Senhor tiver um projeto para sua vida, ele permitirá que você passe alguns apuros a fim de ensiná-lo a depender somente dele. Quando Paulo rogou ao Senhor que lhe tirasse o espinho na carne, algo que o incomodava bastante, foi esta a resposta que recebeu: "Minha graça é tudo de que você precisa. Meu poder opera melhor na fraqueza" (2Co 12.9). Com isso, o apóstolo pôde afirmar: "Portanto, agora fico feliz de me orgulhar de minhas fraquezas, para que o poder de Deus opere por meu intermédio. Por isso aceito com prazer fraquezas e insultos, privações, perseguições e aflições que sofro por Cristo. Pois, quando sou fraco, então é que sou forte" (2Co 12.9-10). Percebe o que Paulo está fazendo aqui? Ele está confessando seu chamado cristão.

Quando a mulher de Jó o viu perder tudo, o instigou a voltar-se contra o Senhor. "Você é louco? Você serve a Deus esse tempo todo, orava de madrugada e pedia proteção, mas veja o que aconteceu!" O que Jó lhe respondeu? "Você fala como uma mulher insensata. Aceitaremos da mão de Deus apenas as coisas boas e nunca o mal?" (Jó 2.10). Assim como Paulo, Jó está confessando seu chamado. Deus permite determinadas situações em nossa vida para nos revelar seu amor, manifestar sua glória e nos abrir os olhos para entendermos a misericórdia, a bondade e o amor que nos cercam. Desse modo, temos a oportunidade de confirmar nosso chamado cristão em vez de murmurar contra Deus. O Senhor permitiu que Jó sofresse? Sim, permitiu. Mas note a belíssima declaração de Jó: "Sei que podes fazer todas as coisas, e ninguém pode frustrar teus planos. [...] Antes, eu só te conhecia de ouvir falar; agora, eu te vi com meus próprios olhos. Retiro tudo que disse e me sento arrependido no pó e nas cinzas" (Jó 42.2,5-6). Que linda confissão!

Tanto no caso de Jó como no de Paulo, vemos Deus em ação na vida de homens íntegros que confessavam seu chamado de fé em ocasiões boas e más. Situações difíceis nem sempre são castigos, mas são como o fogo que afina o ouro. Por meio do agir divino, tornamo-nos mais dependentes e humildes. A Bíblia diz: "Pois o Senhor disciplina quem ele ama e castiga todo aquele a quem aceita como filho" (Hb 12.6).

Já experimentei momentos difíceis em minha vida, na área da saúde, da família ou na igreja. Sabe qual é a melhor maneira de aprendermos uma lição? Quando Deus toca em nossa casa, em nossa vida, em nosso corpo. Eu pensei que tinha a teologia correta, mas Deus disse: "Eu vou lhe mostrar a teologia correta". Aí sim descobri o que é disciplina! Quando sou fraco é que sou forte. O Senhor está cuidando de mim, suprindo minhas necessidades. E, ao confessar meu chamado cristão em meio às tempestades, eu glorifico a Deus.

## Vida cristã e sofrimento

Muitas vezes, decoramos meia dúzia de textos bíblicos e achamos que isso nos torna cristãos. Talvez o que lhe esteja faltando a fim de confirmar seu chamado não sejam riquezas, mas sim disciplina, correção, provação, enfermidade, dificuldade, desemprego e até crise familiar. Pode ser que Deus permita que tudo isso aconteça para moldá-lo, mas não se desespere. Lembre-se de que o Senhor é o seu pastor e cuida de você.

É importante se lembrar sempre de que Deus "dá a luz do sol tanto a maus como a bons e faz chover tanto sobre justos como injustos" (Mt 5.45). Você, por ser cristão, não é melhor que ninguém. Terremotos afetam a casa do ímpio e a casa do justo. Ou não? Se Deus só protegesse o justo e disciplinasse o ímpio, eu ficaria desconfiado desse Deus; mas o amor dele é por toda a humanidade. É por todos nós. Ele "amou tanto o mundo que deu seu Filho único, para que todo o que nele crer não pereça, mas tenha a vida eterna" (Jo 3.16).

O Pai impediu Jesus de sofrer e passar por infortúnios? Não. E você acha que ele impedirá você de passar por momentos difíceis? É exercitando a fé que você crescerá em Deus e confessará a Palavra com propriedade, como Jó. Não crescemos em fé em meio a um piquenique num parque. Crescemos por meio de lutas e aflições.

*O Pai impediu Jesus de sofrer e passar por infortúnios? Não. E você acha que ele impedirá você de passar por momentos difíceis? É exercitando a fé que você crescerá em Deus e confessará a Palavra com propriedade, como Jó.*

Não estamos sozinhos em meio a tudo isso; Deus está conosco! O Senhor não tem o compromisso de livrá-lo, como um pai superprotetor e exagerado, mas ele certamente cuidará de você, visando ao seu desenvolvimento. Livramento na Bíblia não é uma forma de impedimento do mal; é, na realidade, um meio de preservar, fortalecer e aprimorar sua integridade como filho de Deus. Às vezes, nosso crescimento é permeado por lágrimas nos olhos. Cristãos sofrem, sim, mas a presença do Espírito Santo neles faz toda a diferença.

Hebreus 11 é um retrato bem realista de que a confissão de nosso chamado no Senhor não tem como cenário um mar de rosas. Aqueles homens e mulheres passaram por intenso sofrimento. Eles apanharam, foram torturados e não negaram Jesus.

> Outros, porém, foram torturados, recusando-se a ser libertos, e depositaram sua esperança na ressurreição para uma vida melhor. Alguns foram alvo de zombaria e açoites, e outros, acorrentados em prisões. Alguns morreram apedrejados, outros foram serrados ao meio, e outros ainda, mortos à espada. Alguns andavam vestidos com peles de ovelhas e cabras, necessitados, afligidos e maltratados. Este mundo não era digno deles. Vagaram por desertos e montes, escondendo-se em cavernas e buracos na terra.
>
> Todos eles obtiveram aprovação por causa de sua fé; no entanto, nenhum deles recebeu tudo que havia sido prometido. Pois Deus tinha algo melhor preparado para nós, de modo que, sem nós, eles não chegassem à perfeição.
>
> Hebreus 11.35-40

Deus não poderia ter livrado aqueles homens e mulheres da dor e do sofrimento? Podia. E por que não os livrou? Porque estava reservando para eles o mesmo que está reservando para você. Um dia, todos nós nos apresentaremos diante de

Deus como mais do que vencedores. Assim como Paulo, poderemos dizer: "Lutei o bom combate, terminei a corrida e permaneci fiel" (2Tm 4.7). E eu acrescentaria: "E confessei com a minha vida o meu chamado cristão".

O sofrimento faz parte de seu crescimento em Deus e de seu chamado em Cristo. Deus proverá e cuidará de você, haja o que houver, aconteça o que acontecer. Com lágrimas nos olhos, empregado ou desempregado, com dinheiro ou sem dinheiro, com saúde ou sem saúde, viúvo ou viúva, não importa! O que importa é quem você tem: o Deus grande e maravilhoso que o ama com amor de Pai. O melhor a fazer é confiar no Senhor e, mesmo em meio ao sofrimento, confessar sua confiança no Altíssimo. Isso, sim, é confissão vitoriosa!

## Para reflexão individual ou em grupo

O que é o seu chamado cristão? Que implicações práticas esse chamado tem para sua vida cotidiana?

De que maneiras um cristão confessa o seu chamado cristão para quem está à sua volta?

Qual é o seu destino? Qual é o seu projeto de vida depois que você nasceu de novo? Para onde você vai?

## Versículos transformadores para memorizar e praticar

Felizes são vocês quando, por minha causa, sofrerem zombaria e perseguição, e quando outros, mentindo, disserem todo tipo de maldade a seu respeito. Alegrem-se e exultem, porque uma grande recompensa os espera no céu. E lembrem-se de que os antigos profetas foram perseguidos da mesma forma

Mateus 5.11-12

Busquem, em primeiro lugar, o reino de Deus e a sua justiça, e todas essas coisas lhes serão dadas.

Mateus 6.33

O que nos separará do amor de Cristo? Serão aflições ou calamidades, perseguições ou fome, miséria, perigo ou ameaças de morte? Como dizem as Escrituras: "Por causa de ti, enfrentamos a morte todos os dias; somos como ovelhas levadas para o matadouro". Mas, apesar de tudo isso, somos mais que vencedores por meio daquele que nos amou.

Romanos 8.35-37

*Outros:* Mateus 28.18-20; Marcos 16.15; Lucas 24.44-47; Romanos 8.29; 1Timóteo 2.4.

# Conclusão

Confessar a Palavra é declarar a verdade das Escrituras em relação às diversas situações do cotidiano. Essa declaração, no entanto, não pode ser fundamentada em uma interpretação descontextualizada do Texto Sagrado, muito menos em superstição ou heresia. É preciso estudar a Bíblia cuidadosamente e ater-se ao que ela diz. Só assim poderemos evitar possíveis erros e sair vitoriosos.

Vivemos em um mundo rebelde e contrário à vontade de Deus, mas nossa luta não é contra pessoas, e sim contra "governantes e autoridades do mundo invisível, contra grandes poderes neste mundo de trevas e contra espíritos malignos nas esferas celestiais" (Ef 6.12). São esses poderes que atuam com o intuito de afastar o ser humano de Deus, por meio do pecado.

Quando nos damos conta da gravidade disso, passamos a entender melhor a importância da obediência aos preceitos do Senhor e a magnificência da graça que recebemos por meio do sacrifício de Jesus na cruz. Foi por intermédio de sua morte e ressurreição que o Salvador restaurou nossa comunhão com Deus. Antes de nos arrependermos e entregarmos a vida a Cristo, éramos apenas criaturas de Deus, pecadores e desgarrados. Agora, somos filhos remidos, justificados e perdoados. Antes, éramos errantes solitários em um mundo de trevas; hoje, somos morada do Espírito Santo e aguardamos com grande esperança a vida eterna nos céus.

E são os cristãos cheios do Espírito Santo que testemunham as boas-novas de Cristo com poder e autoridade em meio a um mundo perdido em delitos e pecados. Eles vivem de modo diferente neste mundo mau. Os santos de Deus, seus filhos que nasceram de novo, também sentem dores e passam por infortúnios como qualquer ser humano, mas contam com a ajuda e com a presença do Senhor todo-poderoso, que os auxilia em meio às tribulações — até mesmo disciplinando-os ou ensinando-os a lidar com os recursos que ele mesmo proveu. Os remidos do Senhor sabem que não lhes faltarão o sustento e o consolo do Pai quando mais precisarem.

Diferentemente do que muitos pregam por aí, vida cristã não é sinônimo de *status*, muito menos um meio para tornar-se rico ou bem-sucedido. Cristianismo tem mais a ver com simplicidade e humildade do que com luxo e ostentação. Ser nova criatura em Cristo é muito mais sério do que viver de aparências, pois essa realidade atinge a dimensão do espírito e da mudança de mentalidade. O cristão autêntico tem um coração novo, que a cada dia torna-se mais semelhante ao de Jesus.

Confessar a Palavra de Deus é dizer a verdade, e apenas à verdade devemos nos apegar. Foi Jesus, aliás, quem fez a confissão que torna mais que vencedores cada um de nós, filhos de Deus: "Eu sou o caminho, a verdade e a vida. Ninguém pode vir ao Pai senão por mim" (Jo 14.6). Prossigamos, então, em conhecer a verdade, a fim de confessá-la vitoriosamente!

# Sobre o autor

Carlos Alberto de Quadros Bezerra é pastor, conferencista, escritor e fundador da Comunidade da Graça. Formado em Direito, Filosofia, Ciências Contábeis e Teologia, é membro da Academia Paulista Evangélica de Letras. Dedica-se ao aconselhamento e ao discipulado de pastores em diversos países. É casado com Suely Bezerra, tem seis filhos e dezesseis netos.

Conheça outra obra de

## Carlos Alberto Bezerra

- Uma vida com prioridades

Veja mais em:

Compartilhe suas impressões de leitura escrevendo para:
opiniao-do-leitor@mundocristao.com.br
Acesse nosso *site*: www.mundocristao.com.br

*Equipe MC:* Maurício Zágari (editor)
Cleiton Oliveira
Daniel Faria
Heda Lopes
Natália Custódio
*Diagramação:* Luciana Di Iorio
*Revisão:* Josemar de Souza Pinto
*Gráfica:* Assahi
*Fonte:* Book Antiqua
*Papel:* Pólen Soft 70/gm² (miolo)
Cartão 250/gm² (capa)